Les Belles-Sœurs

DU MÊME AUTEUR

ROMANS, RÉCITS ET CONTES

Contes pour buveurs attardés, Éditions du jour, 1966
La Cité dans l'œuf, Éditions du jour, 1969
C't'à ton tour, Laura Cadieux, Éditions du jour, 1973
Le Cœur découvert, Leméac, 1986
Les Vues animées, Leméac, 1990
Douze coups de théâtre, Leméac, 1992
Le Cœur éclaté, Leméac, 1993
Un ange cornu avec des ailes de tôle, Leméac/Actes Sud, 1994

CHRONIQUES DU PLATEAU MONT-ROYAL

La Grosse femme d'à côté est enceinte, Leméac, 1978
Thérèse et Pierrette à l'école des Saints-Anges, Leméac, 1980; Grasset, 1983
La Duchesse et le roturier, Leméac, 1982; Grasset, 1984
Des nouvelles d'Édouard, Leméac, 1984
Le Premier quartier de la lune, Leméac, 1989

THÉÂTRE

Les Belles-sœurs, Leméac, 1972
En pièces détachées, Leméac, 1970
Trois petits tours, Leméac, 1971
À toi pour toujours ta Marie-Lou, Leméac, 1972
Demain matin, Montréal m'attend, Leméac, 1972
Hosanna suivi de *La Duchesse de Langeais*, Leméac, 1973
Bonjour là, bonjour, Leméac, 1974
Les Héros de mon enfance, Leméac, 1976
Sainte Carmen de la Main suivi de *Surprise ! Surprise !*, Leméac, 1976
Damnée Manon, sacrée Sandra, Leméac, 1977
L'impromptu d'Outremont, Leméac, 1980
Les Anciennes Odeurs, Leméac, 1981
Albertine en cinq temps, Leméac, 1984
Le Vrai Monde ?, Leméac, 1987
Nelligan, Leméac, 1990
La Maison suspendue, 1990
Le Train, Leméac, 1990
Marcel poursuivi par les chiens, Leméac, 1992
Théâtre I, Leméac/Actes Sud Papiers, 1991
En circuit fermé, Leméac, 1994

ADAPTATIONS (THÉÂTRE)

Lysistrata (d'aprés Aristophane), Leméac, 1969, réédition 1994
L'Effet des rayons gamma sur les vieux garçons (de Paul Zindel), Leméac, 1970
Et Mademoiselle Roberge boit un peu (de Paul Zindel), Leméac, 1971
Mademoiselle Marguerite (de Roberto Athayde), Leméac, 1975
Oncle Vania (d'Anton Tchekov), Leméac, 1983
Le Gars de Québec (d'après Gogol), Leméac, 1985
Six heures au plus tard (de Marc Perrier), Leméac, 1986
Premières de classe (de Casey Kurtti), Leméac, 1993

MICHEL TREMBLAY

Les Belles-Sœurs

Introduction de Alain Pontaut

LEMÉAC

Photographie de couverture : Pierre Lacasse
Photographies intérieures :   Pierre Lacasse (*Version 1968*)
                                 Daniel Kieffer (*Version 1971*)

ISBN 0-7761-0025-4

© Copyright Ottawa 1972 par Leméac Éditeur Inc.
1124, rue Marie-Anne Est, Montréal (Qc) H2J 2B7
Dépôt légal – Bibliothèque nationale du Québec, 4ᵉ trimestre 1972

Imprimé au Canada

*Les Belles-Soeurs
de Michel Tremblay
cinq ans après*

*par
Alain Pontaut*

Que certains ne veuillent pas encore admettre la place considérable tenue par Les Belles-Soeurs *dans la dramaturgie québécoise incite, cinq ans après la création de cet ouvrage, à en mesurer de nouveau l'impact et l'importance. Ce recul du temps, le chemin parcouru depuis lors par Michel Tremblay, offrent aujourd'hui à l'observation des* Belles-Soeurs *un double et intéressant éclairage.*

Ouvert il y a cinq ans, le débat d'ailleurs n'est pas clos. Il en est qui s'insurgent encore, d'autres qui parlent et ont parlé d'«étape décisive» et de «théâtre de la libération». Ce qui est sûr, c'est que, le 28 août 1968, sur la scène du Théâtre du Rideau Vert, Les Belles-Soeurs *se présentaient à nous en jouant le jeu intégral, en nous offrant aussi le parfait microcosme, fût-ce en un lieu réduit, délimité, d'une psychologie individuelle et collective décapée à l'acide, enivrée au sérum de vérité, nue jusqu'à l'os. Totalement révélées par le moyen hautement dramatique d'une narco-analyse sans rémission comme sans échappatoire, d'une confession sans relâche, d'odes et de choeurs offrant, sur ce tableau, comme une dérision du lyrisme, quinze femmes ordinaires de l'est de Montréal, non seulement y livraient peu à peu le mouvement le plus intime de leur* âme, l'addition de leurs frustrations, le point aigu de leur aliénation, de leur misère mais les livraient dans un langage non récrit, d'usage quotidien, à la fois parlé et parlant, c'est-à-dire seul capable d'illustrer, sans qu'il soit nécessaire d'insister, ces traumatismes mêmes.

Construite presque sans sujet, hors l'argument, aussi moderne que révélateur, des timbres – primes et de la mise en situation qu'ils provoquent, rejetant toute concession, tout vain désir de plaire, visant à déranger, y réussissant à merveille, la pièce, malgré son succès, ne pouvait en effet ne susciter que du ravissement. Elle invitait le spectateur, généralement convié à n'observer que la surface aimable du couvercle, à le voir soudain rejeté, à plonger au sein même de la marmite et à y découvrir, dans des relents peu délectables, un étrange magma de vérités rien moins qu'appétissantes, une substance de vie, une absence de vie, rien moins que rassurantes, un mijotement grouillant où se diluaient bien cruellement, entre les plaies offertes, la hideur de la pauvreté, la suppuration de la haine, les belles certitudes morales de façade.

Le couvercle sautait, et les masques posés sur les visages. On sentait ce tableau plus réel et on aurait souhaité ne pas le découvrir. Il était là pourtant. On y applaudissait avec effroi ou on le rejettait avec dégoût, un faux dégoût, et bien des troubles de conscience, au nom de l'esthétique et des Beaux-Arts.

Tableau clinique et presque hallucinant. Fresque elliptique, complète, et jetant son pavé boueux à la surface d'une eau qu'on s'était acharné à prétendre limpide. Et jeté le pavé, rien n'était plus limpide mais au contraire pollué, opaque, gangrené. Pour une fois,

II

*le miroir ne mentait plus. Il faisait donc plus
qu'étonner. Il provoquait et il exaspérait. Il révoltait.
Ou bien il entraînait de vifs mépris déguisés en condes-
cendance. Ainsi, et pour sa part, le critique de* La
Presse *s'en montrait quelque peu perturbé et, pour
tout dire, peu disposé à classer ce déferlement de
mots crus, ce réalisme de cuisine dans les divertisse-
ments de bonne compagnie. Comment la si distinguée
direction du Rideau-Vert avait-elle pu donner asile à
cette virulence, noire et comique, intéressante assûré-
ment, et cependant triviale à s'en boucher le nez?*

*Triviale? Oui, sans doute. Et si par hasard cette
trivialité allait mieux au visage de ce groupe caractéristique (non symbolique d'ailleurs de toute la communauté), de ces échantillons étrangement signi-
ficatifs, que les pudiques approximations de la comédie psychologique à la française, les joliesses et les
facéties de boulevard, la voix d'airain fêlé des sons
— Claudel, l'épopée fabriquée de la mission et de la
race, les recherches copiées ailleurs? Si par hasard
le théâtre québécois à faire naître, en empruntant d'ailleurs le chemin ouvert par* Florence, *à installer, à
imposer enfin, en décalque et en vérité, ne pouvait
être que celui-là? Non pas de fausses images,
abstraites ou importées, mais une vraie représentation, une fête intégrale, et tragique, de la vérité.*

*C'est peut-être dur à admettre: à l'opprimé, le
spectacle de l'oppression est oppressant. Et c'est plus
difficile encore à récuser. Et s'il peut paraître hasar-
deux de prétendre que «nous sommes tous des*
Duchesse de Langeais», *on aura bien du mal, assûré-
ment, à démontrer que les Germaine et les Linda
Lauzon, les Rose Ouimet, les Angéline Sauvé ou les*

Pierrette Guérin ne hantent pas quotidiennement, d'une présence diaphane et cependant épaisse et familière, certaines cuisines, certaines cours et galeries, certains quartiers de la cité.

Et c'est même à celles-là, gorgées de vraies rancunes et de fausses convictions, que le tableau pourrait le plus paraître insupportable. Si vous la rencontrez, menez donc Lisette de Courval au théâtre et forcez-la à s'observer elle-même, au milieu de ses congénères qu'elle méprise, avec ses oeuvres pieuses, ses manières, ses modèles usurpés, sa puérilité d'insatisfaite et son snobisme de transfert, ses louables efforts pour bien «perler», son goût des manifestations paroissiales et mondaines, ses envies mal dissimulées, ses calomnies soudain fusantes, sa participation au vol des timbres, sa comique croyance en sa morale supérieure et en son rang social différent, les raisons qu'elle se donne et qu'elle a fini par croire vraies.

Menez-la devant ce miroir qui la dépouille et qui la restitue. Et vous l'entendrez protester avec rage, tout comme à la fin du spectacle, dérisoirement drapée dans le peu qui lui reste de dignité: «Je ne remettrai plus jamais les pieds ici!»

Et l'on pourrait agir de la même manière avec chacun de ces quinze personnages, prisonniers des filets de ce «sujet en or» qu'est le «party de collage de timbres» organisé dans la cuisine de l'heureuse gagnante et animé par sa famille et ses voisines. Sujet en or mais qu'il fallait savoir retenir et traiter, développer savamment par ensembles grinçants ou par révélations individuelles, par la ronde ininterrompue, constamment frémissante, allégée par *l'humour, des peurs et des préjugés collectifs, des ratages et des haines personnels, des dessèchements et des rancoeurs, transcendés et synthétisés, minutieusement réduits, théâtralement grossis, passés au crible et tamisés par la main d'un témoin implacable doublé d'un virtuose de l'authenticité scénique.*

Ne parlons plus de ce langage puisque, contrairement à des tentatives ultérieures, où il est devenu procédé et fabrication, mode néfaste, défoulement provisoire, il est ici nécessité psychologique et dramatique, coïncidence indispensable, adéquation de la forme et du fond, confirmation, preuves extérieures du mal social, politique et moral. Ces personnages traumatisés ne pouvaient pas, ne devaient pas parler une autre langue que celle-ci, familière et souvent pittoresque — plus tard, et gratuitement, on abusera de ses effets comiques et, dès lors, ils cesseront de l'être —, néanmoins raréfiée, tuméfiée, tristement impropre à l'échange, témoignant des médiocrités de l'école, des hypocrisies de l'élite et des réalités de l'assimilation.

Mode linguistique ou univers psychologique, le monde des Belles-Soeurs demeure d'une étonnante authenticité, d'une drôlerie savoureuse, d'une virulence aiguë et remarquablement symptomatique. Il est aussi, et nul ne le niera, d'une fermeture désespérante.

On chercherait en vain, pour l'une quelconque de ces femmes, cependant si diversifiées, sans hommes comme sans âme, l'amorce d'une solution ou même d'un élan du coeur, l'esquisse d'une possibilité, le commencement d'une espérance, l'ombre d'une porte de sortie. Un hermétique enclos les retient prisonnières, insectes venimeux dans un bocal clos et qui achèvent d'étouffer, objets d'une entomologie férocement impassible de la part d'un auteur qui n'est point là sans doute pour leur donner de l'air mais qui ne croit nullement à leur libération. Et c'est ici un choix de l'art, ou de l'individu, un parti pris de spectateur-auteur, plus que le résultat d'une constation sociologique.

Encore qu'un auteur dramatique n'ait pas à se substituer à un prophète politique ou à un dispensateur de morale, on peut bien ressentir que Les Belles-Soeurs, comme En pièces détachées—on dirait d'une folie de l'impossible identité, ne débouchant d'ailleurs que sur l'identité de la folie — se présentent à nous comme séduites, fascinées, aimantées par l'entière négation de leur thème, constamment rappelé, par la férocité, la fermeture de leur constat, prenant à l'établir, ou à s'en décharger, comme une sorte de noire délectation. «Pus capables» et voués sans recours à leur «maudite vie plate», les personnages de ce théâtre «sont poignés à'gorge, pis y vont rester de même jusqu'au boute!» C'est là, évidemment, une façon efficace de rompre avec la littérature édifiante!

La façon est tellement radicale, l'enclos à ce point étouffant que, plus tard, on s'émerveillera de la seule pauvre chance offerte à un seul personnage de ce théâtre. «Moé, chus libre», prétendra en effet Carmen, chanteuse de la Main dans A toi pour toujours, ta Marie-Lou. «Liberté, écrira Jean-Cléo Godin, du seul naufragé qui a pu s'accrocher à un récif ou à une épave.»

Plus rigoureuse et moins éparpillée, cernée sur l'essentiel, l'action de Marie-Lou témoigne d'un progrès technique, non moral. C'est la même glu, la même

poix, le même enclos. C'est le même essai de survie, si frêle et concentrationnaire, dénoncé d'ailleurs en suicide.

Mais le peu de foi de ce portraitiste de l'aliénation définitive, l'addition fascinée qu'il opère des frustrés, des ratés ou des monstres (Marie-Claire Blais les accumule aussi, mais de façon systématique et moins probante) n'altèrent en rien la nouveauté, l'audace, le naturel, le comique et le pathétique, la violence explosive du portrait. L'incandescence du témoignage.

Relisons Les Belles-Soeurs cinq ans après. Entières, omniprésentes, l'étrange dynamique de leur morosité, la force de leur impuissance. Farouchement allègres, leur besoin de se déchirer, leur logique d'haïr puisqu'elles se haïssent. Actif, concernant, vivant, leur remuement stérile, odieux, blessé, comique, décapant, incantatoire. Ouvrage déprimant. Et considérable.

Théâtre Classique
24 hr
lieu = 1
action = collage

Mont

Madame Dubuc est ennervér
Grandmere Dubuc a perdu sa bon sens.

La lecture de cette pièce a eu lieu au Centre du Théâtre d'Aujourd'hui, le lundi 4 mars 1968, par le Centre d'essai des auteurs dramatiques. La pièce a été créée le 28 août 1968 par le Théâtre du Rideau-Vert de Montréal, puis reprise en août 1969 et en mai 1971.

les gens ordinaires.

DISTRIBUTION À LA CRÉATION

pas de roi ou hero

Germaine Lauzon	Denise Proulx
Linda Lauzon	Odette Gagnon
Rose Ouimet	Denise Filiatrault
Gabrielle Jodoin	Lucille Bélair
Lisette de Courval	Hélène Loiselle
Marie-Ange Brouillette	Marthe Choquette
Yvette Longpré	Sylvie Heppel
Des-Neiges Verrette	Denise de Jaguère
Thérèse Dubuc	Germaine Giroux
Olivine Dubuc	Nicole LeBlanc
Angéline Sauvé	Anne-Marie Ducharme
Rhéauna Bibeau	Germaine Lemyre
Lise Paquette	Rita Lafontaine
Ginette Ménard	Josée Beauregard
Pierrette Guérin	Luce Guilbeault

anti-catholique!

pas des hommes

9

les hommes sont tous obscédée par le sexualité

DISTRIBUTION À LA PREMIÈRE REPRISE

Germaine Lauzon
Linda Lauzon
Rose Ouimet
Gabrielle Jodoin
Lisette de Courval
Marie-Ange Brouillette
Yvette Longpré
Des-Neiges Verrette
Thérèse Dubuc
Olivine Dubuc
Angéline Sauvé
Rhéauna Bibeau
Lise Paquette
Ginette Ménard
Pierrette Guérin

Denise Proulx
Odette Gagnon
Denise Filiatrault
Lucille Bélair
Jeannine Sutto
Marthe Choquette
Sylvie Heppel
Denise de Jaguère
Germaine Giroux
Carmen Tremblay
Anne-Marie Ducharme
Germaine Lemyre
Rita Lafontaine
Josée Beauregard
Luce Guilbeault

DISTRIBUTION À LA DEUXIÈME REPRISE

Germaine Lauzon
Linda Lauzon
Rose Ouimet
Gabrielle Jodoin
Lisette de Courval
Marie-Ange Brouillette
Yvette Longpré
Des-Neiges Verrette
Thérèse Dubuc
Olivine Dubuc

Germaine Giroux
Marie-Claire Nolin
Monique Mercure
Eve Gagnier
Denise Morelle
Mirielle Lachance
Amulette Garneau
Jeannine Sutto
Sylvie Heppel
Huguette Gervais

10

Angéline Sauvé   Denise de Jaguère
Rhéauna Bibeau   Carmen Tremblay
Lise Paquette   Frédérique Collin
Ginette Ménard   Danielle Lorain
Pierrette Guérin   Michelle Rossignol

L'action se déroule en 1965.

Cuisine. Quatre énormes caisses occupent le centre de la pièce.

PREMIER ACTE

langage
joual
langage relevé

pas de vers
pas de rime

(Entre Linda Lauzon. Elle aperçoit les quatre caisses posées au centre de la cuisine.)

LINDA LAUZON — Misère, que c'est ça ? Moman !

GERMAINE LAUZON, *dans une autre pièce* — C'est toé, Linda ?

LINDA LAUZON — Oui. Que c'est ça, les caisses qui traînent dans'cuisine ?

GERMAINE LAUZON — C'est mes timbres !

LINDA LAUZON — Sont déjà arrivés ? Ben, j'ai mon voyage ! Ç'a pas pris de temps !

(Entre Germaine Lauzon.)

GERMAINE LAUZON — Ben non, hein ? Moé aussi j'ai resté surpris ! Tu v'nais juste de partir, à matin, quand ça sonné à'porte ! J'vas répondre. C'tait un espèce de grand gars. J'pense que tu l'aurais aimé, Linda. En plein ton genre. Dans les vingt-deux, vingt-trois ans, les cheveux noirs, frisés, avec une petite moustache... Un vrai bel homme. Y m'dc-mande, comme ça, si chus madame Germaine Lauzon, ménagère. J'dis qu'oui, que c'est ben moé. Y m'dit que c'est mes timbres. Me v'là toute énarvée, tu comprends. J'savais pas que c'est dire... Deux gars sont v'nus les porter dans'maison pis l'autre gars m'a faite un espèce de discours... Y parlait ben en s'il-vous-plaît ! Pis y'avait l'air fin ! Chus certaine que tu l'aurais trouvé de ton goût, Linda...

LINDA LAUZON — Que c'est qu'y disait, toujours ?

15

GERMAINE LAUZON — J'sais pus trop... J'étais assez énarvée... Y m'a dit que la compagnie pour qui qu'y travaillait était ben contente que j'aye gagné le million de timbres-primes... que j'étais ben chanceuse... Moé, j'savais pas que c'est dire... J'aurais aimé que ton père soye là... y'aurait pu y parler, lui... J'sais même pas si j'y ai dit marci !

LINDA LAUZON — Ça va en faire des timbres à coller, ça ! Quatre caisses ! Un million de timbres, on rit pus !

GERMAINE LAUZON — Y'en a juste trois caisses. La quatrième, c'est pour les livrets. Mais j'ai eu une idée, Linda. On n'est pas pour coller ça tu-seules ! Sors-tu, à soir ?

LINDA LAUZON — Oui, Robert est supposé de m'appeler...

GERMAINE LAUZON — Tu pourrais pas r'mettre ça à demain ? J'ai eu une idée, 'coute ben... A midi, j'ai téléphoné à mes sœurs, à la sœur de ton pére, pis chus t'allée voir les voisines. J'les ai toutes invitées à v'nir coller des timbres, à soir. J'vas faire un party de collage de timbres ! C't'une vraie bonne idée, ça, hein ? J'ai acheté des pinottes, du chocolat, le p'tit a été chercher des liqueurs...

LINDA LAUZON — Moman, vous savez ben que j'sors toujours, le jeudi soir ! C'est not'soir ! On voulait aller aux vues...

GERMAINE LAUZON — Tu peux pas me laisser tu-seule un soir pareil ! On va être quasiment quinze !

LINDA LAUZON — Vous êtes pas folle ! On rentre jamais quinze dans'cuisine ! Pis vous savez ben qu'on peut pas recevoir dans le restant de la maison

16

parce qu'on peinture ! Misère, moman, que vous avez donc pas d'allure, des fois !

GERMAINE LAUZON — C'est ça, méprise-moé ! Bon, c'est correct, sors, fais à ta tête ! Tu fais toujours à ta tête, c'est pas ben ben mêlant ! Maudite vie ! J'peux même pas avoir une p'tite joie, y faut toujours que quelqu'un vienne toute gâter ! Vas-y aux vues, Linda, vas-y, sors à'soir, fais à ta tête ! Maudit verrat de bâtard que chus donc tannée !

LINDA LAUZON — Comprenez donc, moman . . .

GERMAINE LAUZON — J'comprends rien pantoute pis j'veux rien savoir ! Parle-moé pus . . . Désâmez-vous pour élever ça, pis que c'est que ça vous rapporte ? Rien ! Rien pantoute ! C'est même pas capable de vous rendre un p'tit sarvice ! J't'avertis, Linda, j'commence à en avoir plein le casque de vous servir, toé pis les autres ! Chus pas une sarvante, moé, icitte ! J'ai un million de timbres à coller pis chus pas pour les coller tu-seule ! Après toute, ces timbres-là, y vont servir à tout le monde ! Faudrait que tout le monde fasse sa part, dans'maison ! . . . Ton père travaille de nuit, pis si on n'a pas fini de coller ça demain, y va continuer dans' journée, y me l'a dit ! J'demande pas la lune ! Aide-moé donc, pour une fois, au lieu d'aller niaiser avec c'te niaiseux-là !

LINDA LAUZON — C'est pas un niaiseux, vous saurez !

GERMAINE LAUZON — Ah ben, j'ai mon voyage ! J'savais que t'étais nounoune, mais pas à ce point-là ! Tu t'es pas encore aperçue que ton Robert c't'un bon-rien ? Y gagne même pas soixante piasses par semaine ! Pis tout c'qu'y peut te payer, c'est le théâtre Amherst, le jeudi soir ! C'est moé qui te le dis, Linda, prends le conseil d'une mére, si tu continues à le fréquenter, tu vas devenir une bonrienne comme lui ! T'as quand même pas envie de marier un colleur de semelles pis de rester strapeuse toute ta vie !

LINDA LAUZON — Farmez-vous donc, moman, quand vous êtes fâchée, vous savez pus c'que vous dites ! C'est correct, j'vas rester, à soir, mais arrêtez de chiâler, pour l'amour ! D'abord, Robert, là, y va avoir une augmentation ben vite, pis y va gagner pas mal plus cher ! Y'est pas si nono que ça, vous savez ! Le boss m'a même dit qu'y pourrait embarquer dans les grosses payes, ben vite, pis devenir p'tit boss ! Quand t'arrives dans les quatre-vingts piasses par semaine, c'est pus des farces ! Entéka ! J'vas y téléphoner, là . . . J'vas y dire que j'peux pas aller aux vues, à soir . . . J'peux-tu y dire de v'nir coller des timbres avec nous autres ?

GERMAINE LAUZON — Tiens, r'gard-la ! J'viens d'y dire que j'peux pas le sentir, pis a veut l'inviter à soir ! Ma grand-foi du bon Dieu, t'as pas de tête su'es épaules, ma pauv'fille ! Que c'est que j'ai ben pu faire au bon Dieu du ciel pour qu'y m'envoye des enfants bouchés pareils ! Encore, à midi, j'demande au p'tit d'aller me chercher une livre d'oignons, pis y me revient avec deux pintes de lait ! Ç'a pas de saint grand bon sens ! Y faudrait toute répéter vingt fois, ici-dedans ! J'peux ben pardre patience ! J't'ai dit que je faisais un party de femmes, Linda, rien que des femmes ! C'est pas un fifi, ton Robert !

LINDA LAUZON — C'est correct, v'nez pas folle, la

mére, j'vas y dire de pas v'nir, c'est toute ! J'ai mon
voyage ! On n'est même pas capable de rien faire,
icitte ! Voir si j'ai envie de coller des timbres après
ma journée à shop ! Pis allez époussetter dans le
salon, un peu ! Vous êtes pas obligée de tout entendre c'que j'vas dire ! *(Elle compose un numéro de
téléphone.)* Allô ! Robert, s'il-vous-plaît... Quand
c'est que vous l'attendez ? Bon, vous y direz que
c'est Linda qui a appelé... Oui, madame Bergeron,
ça va bien, pis vous ? Tant mieux ! Bon ben c'est
ça, hein, bonjour ! *(Elle raccroche. Le téléphone
sonne aussitôt.)* Allô ! Moman, c'est pour vous !

GERMAINE LAUZON, *entrant* — T'as vingt ans, pis tu
sais pas encore qu'y faut dire « un instant s'il-vous-
plaît » quand on répond au téléphone !

LINDA LAUZON — C'est rien que ma tante Rose. J'sais
pas pourquoi j's'rais polie avec elle !

GERMAINE LAUZON, *bouchant le récepteur* — Veux-
tu ben te taire ! D'un coup qu'a t'aurait entendue !

LINDA LAUZON — J'm'en sacre !

GERMAINE LAUZON — Allô ! Ah ! c'est toé, Rose... Ben oui, sont arrivés... C'est ben pour
dire, hein ? Un million ! Sont devant moé, là, pis
j'le crois pas encore ! Un million ! J'sais pas au
juste combien ça fait, mais quand on dit un million,
on rit pus ! Oui, y m'ont donné un cataloye, avec.
J'en avais déjà un, mais celui-là, c'est celui de ç't'année, ça fait que c'est ben mieux... L'autre était toute
magané... Oui, y'a assez des belles affaires, tu devrais voir ça ! C'est pas creyable ! J'pense que j'vas
pouvoir toute prendre c'qu'y'a d'dans ! J'vas toute
meubler ma maison en neuf ! J'vas avoir un poêle,

19

un frigidaire, un set de cuisine ... J'pense que j'vas prendre le rouge avec des étoiles dorées. J'sais pas si tu l'as déjà vu ... Y'est assez beau, aie ! J'vas avoir des chaudrons, une coutellerie, un set de vaisselle, des salières, des poivrières, des verres en verre taillé avec le motif « Caprice » là, t'sais si y sont beaux ... Madame de Courval en a eu l'année passée. A disait qu'a l'avait payé ça cher sans bon sens ... Moé, j'vas toute les avoir pour rien ! A va être en beau verrat ! Hein ? Oui, a vient, à soir ! J'ai vu des pots en fer chromé pour mettre le sel, le poivre, le thé, le café, le sucre, pis toute la patente, là. Oui, j'vas toute prendre ça ... J'vas avoir un set de chambre style colonial au grand complet avec accessoires. Des rideaux, des dessus de bureau, une affaire pour mettre à terre à côté du litte, d'la tapisserie neuve ... Non, pas fleurie, ça donne mal à tête à Henri, quand y dort ... Ah ! j'te dis, j'vas avoir une vraie belle chambre ! Pour le salon, j'ai un set complet avec le stirio, la tv, le tapis de nylon synthétique, les cadres ... Ah ! les vrais beaux cadres ! T'sais, là, les cadres chinois avec du velours ... C'tu assez beau, hein ? Depuis le temps que j'en veux ! Pis tiens-toé ben ma p'tite fille, j'vas avoir des plats en verre soufflé ! Ben oui, pareil comme ceux de ta belle-sœur Aline ! Pis même, j'pense qu'y sont encore plus beaux ! J't'assez contente, aie ! Y'a des cendriers, des lampes ... j'pense que c'est pas mal toute pour le salon ... Y'a un rasoir électrique pour Henri pour se raser, des rideaux de douche ... Quoi ? Ben, on va en faire poser une, y'en donnent avec les timbres ! Un bain tombeau,

Pas de "Bonjour" pour Marie ange

un lavier neuf, chacun un costume de bain neuf . . .
Non, non, non, chus pas trop grosse, commence pas
avec ça ! Pis j'vas toute meubler la chambre du
p'tit. Tu devrais voir c'qu'y ont pour les chambres
d'enfants, c'est de toute beauté de voir ça ! Avec des
Mickey Mouse partout ! Pour la chambre de Linda . . . O.K. c'est ça, tu r'garderas le cataloye,
plutôt. Viens-t-en tu-suite, par exemple, les autres
vont arriver ! J'leur s'ai dit d'arriver de bonne heure !
Tu comprends, ça va ben prendre pas mal de temps
pour coller ça ! *(Entre Marie-Ange Brouillette.)*
Bon ben, j'vas te laisser, là, madame Brouillette vient
d'arriver. C'est ça, oui . . . oui . . . bye !

MARIE-ANGE BROUILLETTE — Moé, c'est ben simple, madame Lauzon, chus jalouse.

GERMAINE LAUZON — J'vous pense ! C'est tout un
événement ! Mais vous allez m'excuser, madame
Brouillette, chus pas encore prête. J'parlais à ma
sœur Rose . . . J'la r'gardais par la fenêtre . . . On
se voit de bord en bord de la ruelle, c'est commode . . .

BARIE-ANGE BROUILLETTE — A vient-tu elle itou ?

GERMAINE LAUZON — Ben oui, a manquerait pas
ça pour tout l'or au monde vous comprenez ! Assisez-
vous un peu, en attendant, pis regardez le cataloye !
Vous allez voir les belles affaires qu'y'a d'dans ! J'vas
toutes les avoir, madame Brouillette, toutes ! Toute
le cataloye !

(Germaine Lauzon entre dans sa chambre.)

MARIE-ANGE BROUILLETTE — C'est pas moé qui
aurais eu c'te chance-là ! Pas de danger ! Moé,
j'mange d'la marde, pis j'vas en manger toute ma vie !
Un million de timbres ! Toute une maison ! C'est

21

ben simple, si j'me r'tenais pas, j'braillerais comme
une vache ! On peut dire que la chance tombe toujours sur les ceuses qui le méritent pas ! Que c'est
qu'a l'a tant faite, madame Lauzon, pour mériter
ça, hein ? Rien ! Rien pantoute ! Est pas plus belle,
pis pas plus fine que moé ! Ça devrait pas exister,
ces concours-là ! Monsieur le curé avait ben raison,
l'aut'jour, quand y disait que ça devrait être embolie !
Pour que c'est faire, qu'elle, a gagnerait un million de
timbres, pis pas moé, hein, pour que c'est faire !
C'est pas juste ! Moé aussi, j'travaille, moé aussi
j'les torche, mes enfants ! Même que les miens sont
plus propres que les siens ! J'travaille comme une
damnée, c'est pour ça que j'ai l'air d'un esquelette !
Elle, est grosse comme une cochonne ! Pis v'la rendu
que j'vas être obligée de rester à côté d'elle pis de sa
belle maison gratis ! C'est ben simple, ça me brûle !
Ça me brûle ! J'vas être obligée d'endurer ses sar-
casses, à part de ça ! Parce qu'a va s'enfler la tête,
c'est le genre ! La vraie maudite folle ! On va
entendre parler de ses timbres pendant des années !
Maudit ! J'ai raison d'être en maudit ! J'veux pas
crever dans la crasse pendant qu'elle, la grosse madame, a va se « prélasser dans la soie et le velours » !
C'est pas juste ! Chus tannée de m'esquinter pour
rien ! Ma vie est plate ! Plate ! Pis par-dessus
le marché, chus pauvre comme la gale ! Chus tannée
de vivre une maudite vie plate !
(Pendant ce monologue, Gabrielle Jodoin, Rose Oui-
met, Yvette Longpré et Lisette de Courval ont fait
leur entrée. Elles se sont installées dans la cuisine
sans s'occuper de Marie-Ange. Les cinq femmes se

lèvent et se tournent vers le public. L'éclairage
change.)

LES CINQ FEMMES, *ensemble* — Quintette : Une maudite vie plate ! Lundi !

LISETTE DE COURVAL — Dès que le soleil a commencé à caresser de ses rayons les petites fleurs dans les champs et que les petits oiseaux ont ouvert leurs petits becs pour lancer vers le ciel leurs petits cris . . .

LES QUATRE AUTRES — J'me lève, pis j'prépare le déjeuner ! Des toasts, du café, du bacon, des œufs. J'ai d'la misère que l'yable à réveiller mon monde. Les enfants partent pour l'école, mon mari s'en va travailler.

MARIE-ANGE BROUILLETTE — Pas le mien, y'est chômeur. Y reste couché.

LES CINQ FEMMES — Là, là, j'travaille comme une enragée, jusqu'à midi. J'lave. Les robes, les jupes, les bas, les chandails, les pantalons, les canneçons, les brassières, tout y passe ! Pis frotte, pis tord, pis refrotte, pis rince . . . C't'écœurant, j'ai les mains rouges, j't'écœurée. J'sacre. A midi, les enfants reviennent. Ça mange comme des cochons, ça revire la maison à l'envers, pis ça repart ! L'après-midi, j'étends. Ça, c'est mortel ! J'hais ça comme une bonne ! Après, j'prépare le souper. Le monde reviennent, y'ont l'air bête, on se chicane ! Pis le soir, on regarde la télévision ! Mardi !

LISETTE DE COURVAL — Dès que le soleil . . .

LES QUATRE AUTRES FEMMES — J'me lève, pis j'prépare le déjeuner. Toujours la même maudite affaire ! Des toasts, du café, des œufs, du bacon . . . J'réveille le monde, j'les mets dehors. Là, c'est le

23

repassage. J'travaille, j'travaille, j'travaille. Midi arrive sans que je le voye venir pis les enfants sont en maudit parce que j'ai rien préparé pour le dîner. J'leu fais des sandwichs au béloné. J'travaille toute l'après-midi, le souper arrive, on se chicane. Pis le soir, on regarde la télévision ! Mercredi ! C'est le jour du mégasinage ! J'marche toute la journée, j'me donne un tour de rein à porter des paquets gros comme ça, j'reviens à la maison crevée ! Y faut quand même que je fasse à manger. Quand le monde arrivent, j'ai l'air bête ! Mon mari sacre, les enfants braillent... Pis le soir, on regarde la télévision ! Le jeudi pis le vendredi, c'est la même chose ! J'm'esquinte, j'me désâme, j'me tue pour ma gang de nonos ! Le samedi, j'ai les enfants dans les jambes par-dessus le marché ! Pis le soir, on regarde la télévision ! Le dimanche, on sort en famille : on va souper chez la belle-mère en autobus. Y faut guetter les enfants toute la journée, endurer les farces plates du beau-père, pis manger la nourriture de la belle-mère qui est donc meilleure que la mienne au dire de tout le monde ! Pis le soir, on regarde la télévision ! Chus tannée de mener une maudite vie plate ! Une maudite vie plate ! Une maudite vie plate ! Une maud...
(L'éclairage redevient normal. Elles se rassoient brusquement.)

LISETTE DE COURVAL — Moi, quand je suis t'allée en Urope...

ROSE OUIMET — La v'la qui recommence avec son Europe, elle ! Ça va être beau ! On n'a pour toute la soirée, certain ! Quand a commence, a s'arrête pus ! A s'monte, a s'monte, pis y'a pus moyen d'la décrinquer !

(Entre Des-Neiges Verrette. Petits saluts discrets.)

LISETTE DE COURVAL — J'voulais seulement dire qu'ils n'ont pas de timbres, en Urope. C'est à dire qu'ils ont des timbres, mais pas des comme ceux-là. Juste des timbres pour timbrer les lettres.

DES-NEIGES VERRETTE — Ça doit être plat vrai ! Y peuvent pas avoir de cadeaux comme nous autres ? Ça doit être plat vrai, en Europe !

LISETTE DE COURVAL — Non, c'est bien beau quand même . . .

MARIE-ANGE BROUILLETTE — Moé, chus pas contre les timbres, c'est ben commode. Si y'avait pas de timbres, j'attendrais encore après ma patente pour hacher la viande. Mais chus contre les concours, par exemple !

LISETTE DE COURVAL — Pourquoi, donc ? Ça rend une famille heureuse !

MARIE-ANGE BROUILLETTE — Peut-être, peut-être, mais ça fait chier les familles qui vivent alentour, par exemple !

LISETTE DE COURVAL — Mon Dieu, que vous êtes donc mal embouchée, madame Brouillette ! Regardez, moi, j'perle bien, puis j'm'en sens pas plus mal !

MARIE-ANGE BROUILLETTE — J'parle comme que j'peux, pis j'dis c'que j'ai à dire, c'est toute ! Chus pas t'allée en Urope, moé, chus pas t'obligée de me forcer pour bien perler !

ROSE OUIMET — Commencez donc pas à faire la chicane, vous deux, là ! On n'est pas venues icitte

25

pour se chicaner ! Si vous continuez, moé, je r'travarse la ruelle, pis j'rentre chez nous !

GABRIELLE JODOIN — Que c'est que Germaine fait, donc, qu'a l'arrive pas ! Germaine !

GERMAINE LAUZON, *dans sa chambre* — Oui, ça s'ra pas long, là ! J'ai d'la misère avec... Entéka, j'ai d'la misère... Linda es-tu là ?

GABRIELLE JODOIN — Linda ! Linda ! Non, est pas là !

MARIE-ANGE BROUILLETTE — J'pense que j'l'ai vue sortir, t'à l'heure.

GERMAINE LAUZON — Dites-moé pas qu'a s'est sauvée, la p'tite bougraise !

GABRIELLE JODOIN — On peut-tu commencer à coller les timbres, en t'attendant ?

GERMAINE LAUZON — Non ! Attendez-moé, j'vas toute vous dire c'que vous avez à faire ! Commencez pas tu-suite, attendez que je soye là ! Jasez, en attendant, jasez !

GABRIELLE JODOIN — Jaser, jaser, c'est beau...
(Le téléphone sonne.)

ROSE OUIMET — Mon Dieu, que j'ai eu peur ! Allô ! Non, est pas là, mais si vous voulez attendre, ça s'ra pas ben long, a va r'venir d'une seconde à l'autre, j'pense. *(Elle pose le récepteur, sort sur la galerie et crie :)* Linda ! Linda, téléphone !

LISETTE DE COURVAL — Et puis, madame Longpré, comment est-ce que votre fille Claudette aime ça, être mariée ?

YVETTE LONGPRE — Ah ! a l'aime ben ça. A trouve ça ben l'fun. A m'a toute conté son voyage de noces, vous comprenez.

GABRIELLE JODOIN — Où c'est qu'y sont allés, donc?

YVETTE LONGPRE — Ben, lui y'avait gagné un voyage aux îles Canaries, hein, ça fait qu'y se sont dépêchés pour se marier . . .

ROSE OUIMET, *riant* — Les îles Canaries ? Ça doit être plein de serins, par là !

GABRIELLE JODOIN — Voyons, Rose !

ROSE OUIMET — Ben quoi !

DES-NEIGES VERRETTE — C'est où ça, les îles Canaries ?

LISETTE DE COURVAL — Nous sommes passés par là, moi et mon mari lors de notre dernier voyage en Urope . . . C'est un ben . . . bien beau pays. Les femmes portent seulement que des jupes.

ROSE OUIMET — Le vrai pays pour mon mari !

LISETTE DE COURVAL — Pis j'vous assure que c'est du monde qui sont pas ben propres ! D'ailleurs, en Urope, le monde se lavent pas !

DES-NEIGES VERRETTE — Y'ont l'air assez sales, aussi ! Prenez l'Italienne à côté de chez nous, a pue c'te femme-là, c'est pas croyable !

(Les femmes éclatent de rire.)

LISETTE DE COURVAL, *insinuante* — Avez-vous déjà remarqué sa corde à linge, le lundi ?

DES-NEIGES VERRETTE — Non, pourquoi ?

LISETTE DE COURVAL — J'ai rien qu'une chose à vous dire : c'monde-là, là, ça porte pas de sous-vêtements !

MARIE-ANGE BROUILLETTE — Pas vrai !

ROSE OUIMET — Arrêtez donc, là, vous !

YVETTE LONGPRE — J'ai mon voyage !

LISETTE DE COURVAL — Vrai comme je suis là ! Vous remarquerez, lundi prochain, vous allez voir !

YVETTE LONGPRE — Y peuvent ben puer !

MARIE-ANGE BROUILLETTE — Peut-être qu'a l'aime mieux étendre ses sous-vêtements dans la maison . . . par pudeur !

(Toutes les autres rient.)

LISETTE DE COURVAL — La pudeur, y connaissent pas ça, les Uropéens ! Vous avez qu'à regarder les films, à la télévision ! C'est ben effrayant de voir ça ! Ça s'embrasse à tour de bras au beau milieu d'la rue ! C'est dans eux-autres, ils sont faits comme ça ! Vous avez rien qu'à guetter la fille de l'Italienne quand elle reçoit ses chums . . . euh . . . ses amis de garçons . . . C't'effrayant c'qu'elle fait, cette fille-là ! Une vraie honte ! Ça me fait penser, madame Ouimet, j'ai vu votre Michel, l'autre jour . . .

ROSE OUIMET — Pas avec c'te puante-là, toujours !

LISETTE DE COURVAL — Oui, justement.

ROSE OUIMET — Vous avez dû vous tromper ! Ça peut pas être lui !

LISETTE DE COURVAL — Bien voyons, c'est mes voisins à moi aussi, les Italiens ! Ils étaient tous les deux sur le balcon d'en avant . . . Y pensaient que personne pouvait les voir, je suppose . . .

DES-NEIGES VERRETTE — C'est vrai, j'les ai vus, moé aussi, madame Ouimet. Pis j'vous dis que ça s'embrassait sur un vrai temps !

ROSE OUIMET — Le p'tit maudit, par exemple ! Y' avait pas assez d'un cochon, dans'maison . . . Quand j'parle de cochon, là, j'parle de mon mari . . . Y peut pas voir une belle fille, à la télévision, là, y . . .

y... vient fou raide ! Maudit cul ! Y'en ont jamais assez, les Ouimet ! Sont toutes pareils, dans famille, y...

GABRIELLE JODOIN — Voyons, Rose, t'es pas obligée de conter ta vie de famille devant tout le monde...

LISETTE DE COURVAL — Bien, ça nous intéresse...

DES-NEIGES ET MARIE-ANGE — Oui, certain !

YVETTE LONGPRE — Pour en revenir au voyage de noces de ma fille...

(Entre Germaine Lauzon, toute endimanchée.)

ROSE OUIMET — Bonyeu, tu t'es checquée ! T'en vas-tu aux noces ?

GERMAINE LAUZON — Me v'là, les filles ! *(Salutations, « bonjour, comment ça va », etc.)* De quoi vous parliez, donc ?

ROSE OUIMET — Ben, madame Longpré nous contait le voyage de noces de sa Claudette, justement...

GERMAINE LAUZON — Oui ? Bonjour madame... Pis, que c'est qu'a disait ?

ROSE OUIMET — Ça l'air que c'était un vrai beau voyage. Y'ont vu tu-sortes de monde. Sont allés en bateau. Tu comprends, c'est des îles qu'y'ont visitées. Les îles Canaries... A pêche, y'ont pris des poissons gros comme ça, y paraît ! Y'ont rencontré des couples qu'y connaissaient... des amies de filles de Claudette... Y sont toutes revenus ensemble. Sont arrêtés à New York. Madame Longpré nous a conté des anecdoques...

YVETTE LONGPRE — Ben...

ROSE OUIMET — Hein, madame Longpré, c'est vrai, c'que j'dis là ?

YVETTE LONGPRE — Ben, c't'à dire . . .

GERMAINE LAUZON — Vous direz à votre fille, madame Longpré, que j'y souhaite ben du bonheur. On n'a pas été invités aux noces, mais on sait vivre pareil !

(Silence gêné.)

GABRIELLE JODOIN — Aïe, y'est quasiment sept heures ! Le chapelet !

GERMAINE LAUZON — Mon doux, ma neuvaine à sainte Thérèse ! J'vas aller chercher le radio à Linda . . .

(Elle sort.)

ROSE OUIMET — Que c'est qu'a peut ben vouloir à sainte Thérèse, donc elle ? Surtout après c'qu'a vient de gagner !

DES-NEIGES VERRETTE — C'est peut-être ses enfants qui y donnent du mal . . .

GABRIELLE JODOIN — J'pense pas, a me l'aurait dit . . .

GERMAINE LAUZON, *de la chambre de Linda* — Où c'est qu'a l'a fourré, c'te radio-là, donc !

ROSE OUIMET — Ben, j'sais pas, Gaby, est pas mal cachottière, des fois, not'sœur !

GABRIELLE JODOIN — A me conte toute, à moé. Toé, on sait ben, commère comme que t'es . . .

ROSE OUIMET — Comment ça, commère comme que chus. T'es pas ben ben gênée ! Tu sauras que chus pas plus commère que toé, Gabrielle Jodoin !

GABRIELLE JODOIN — Voyons donc, tu sais ben que tu peux rien garder pour toé !

ROSE OUIMET — Ah ! ben là, par exemple . . . Si tu penses . . .

30

LISETTE DE COURVAL — C'est vous, madame Oui-met, qui disiez tout à l'heure qu'on n'est pas venues ici pour se quereller ?

ROSE OUIMET — Vous, là, mêlez-vous de ce qui vous regarde ! D'abord, j'ai pas dit quereller, j'ai dit chicaner !

(Germaine Lauzon revient avec un appareil de radio.)

GERMAINE LAUZON — Que c'est qui se passe donc, on vous entend crier à l'aut-boute d'la maison !

GABRIELLE JODOIN — Ah ben ! c'est not'sœur, en-core . . .

GERMAINE LAUZON — Reste donc tranquille, un peu, Rose ! D'habitude, c'est toujours toé qui fait le fun dans les parties . . . Commence pas la chicane à soir !

ROSE OUIMET — Vous voyez, on dit chicane, dans la famille !

(Germaine Lauzon branche l'appareil de radio. On entend des bribes de chapelet. Toutes les femmes s'agenouillent. Après cinq ou six « Ave Maria » on entend un vacarme épouvantable provenant de l'extérieur. Toutes les femmes crient, se lèvent et sortent de la maison en courant.)

GERMAINE LAUZON — Mon Dieu, la belle-mère de ma belle-sœur Thérèse qui vient de tomber en bas du troisième étage !

ROSE OUIMET — Vous êtes-vous fait mal, Madame Dubuc ?

GABRIELLE JODOIN — Farme-toé donc, Rose. A doit être au moins morte !

THERESE DUBUC, *de très loin* — Etes-vous correcte, madame Dubuc ? *(On entend une espèce de râle.)*

Attendez, j'vas enlever la chaise roulante de par-dessus vous, là ! Etes-vous mieux comme ça ? J'vas vous aider à r'monter dans votre chaise. Voyons, madame Dubuc, aidez-vous un peu, restez pas molle de même ! Ayoye !

DES-NEIGES VERRETTE — J'vas aller vous aider, madame Dubuc.

THERESE DUBUC — Merci, mademoiselle Verrette, vous êtes ben bonne . . .

(Les autres femmes entrent dans la maison.)

ROSE OUIMET — Farme donc le radio, Germaine, chus toute énarvée !

GERMAINE LAUZON — Ben, pis ma neuvaine ?

ROSE OUIMET — Où c'est que t'es rendue ?

GERMAINE LAUZON — A sept.

ROSE OUIMET — Sept, c'est pas grave. Tu recom-menceras demain, pis samedi prochain, ta neuvaine s'ra finie !

GERMAINE LAUZON — Oui, mais ma neuvaine, c'tait neuf semaines ! *(Entrent Thérèse Dubuc, Des-Neiges Verrette et Olivine Dubuc dans sa chaise roulante.)* Mon Dieu, a pas eu trop de mal, toujours ?

THERESE DUBUC — Ben non, ben non, est habituée. A tombe en bas de sa chaise roulante dix fois par jour ! Ouf ! Chus toute essoufflée ! Tirer c'te chaise-là pendant trois étages, c'est pas des farces ! Vous auriez pas quequ'chose à boire, Germaine ?

GERMAINE LAUZON — Gaby, donne donc un verre d'eau à Thérèse ! *(Elle s'approche d'Olivine Du-buc.)* Pis, comment ça va, ma bonne madame Dubuc?

THERESE DUBUC — Approchez pas trop, Germaine, a mord depuis quequ'temps !

(Olivine Dubuc essaie effectivement de lui mordre la main.)

GERMAINE LAUZON — M'as dire comme vous, Thérèse, est dangereuse ! Ça fait longtemps qu'est comme ça ?

THERESE DUBUC — Eteindez donc le radio, Germaine, ça me tombe sur les nerfs ! Chus trop énarvée après c'qui vient d'arriver.

(Germaine Lauzon ferme la radio à contrecœur.)

GERMAINE LAUZON — J'comprends, ma pauvre Thérèse, j'comprends !

THERESE DUBUC — C'est ben simple, chus rendue au boute ! Au boute ! Vous savez pas la vie que je mène, depuis que j'ai ma belle-mère sur le dos ! Ah ! c'est pas que j'l'aime pas, la pauv'femme, a fait tellement pitié, mais est malade pis capricieuse sans bon sens ! Y faut toujours la guetter !

DES-NEIGES VERRETTE — Comment ça se fait qu'est pus à l'hôpital ?

THERESE DUBUC — Oh ! Vous comprenez, mademoiselle Verrette, mon mari a eu une augmentation de salaire v'là trois mois, ça fait que le Bien-être social voulait pus payer pour sa mère. On aurait été obligés de payer l'hôpital au grand complet ...

MARIE-ANGE BROUILLETTE — Mon doux !

YVETTE LONGPRE — C'tu effrayant !

DES-NEIGES VERRETTE — Lâchez-moé donc !

(Pendant le récit de Thérèse Dubuc, Germaine Lauzon ouvre les caisses et distribue livrets et timbres.)

THERESE DUBUC — On a été obligés de la retirer. C'est toute une croix, j'vous en passe un papier ! A l'a quatre-vingt-treize ans, c'te femme-là, y faut pas l'oublier ! Y faut en prendre soin comme un p'tit bébé ! Chus t'obligée de l'habiller, d'la déshabiller, d'la laver . . .

DES-NEIGES VERRETTE — Doux Jésus !

YVETTE LONGPRE — Pauvre vous !

THERESE DUBUC — Ah ! C'est pas drôle ! T'nez, à matin, encore. J'dis à Paolo, mon plus jeune : « Moman va aller mégasiner, là, garde memére, pis prends-en ben soin. » Ben bonyenne, quand chus r'venue, madame Dubuc avait toute renversé le pot de mnasse sur elle pis a jouait d'dans comme une bonne. Naturellement, Paolo avait disparu ! J'ai été obligée de nettoyer la table, le plancher, la chaise roulante . . .

GERMAINE LAUZON — Pis madame Dubuc, elle ?

THERESE DUBUC — J'l'ai laissée de même une bonne partie de l'après-midi ! Ça y'apprendra ! A l'agit comme un bébé, on va la traiter comme un bébé, c'est toute ! Tenez, c'est pas ben ben mêlant, chus t'obligée de la faire manger à p'tite cuiller !

GERMAINE LAUZON — Mon Dieu, Thérèse, que j'vous plains donc !

DES-NEIGES VERRETTE — Vous êtes trop bonne, Thérèse !

GABRIELLE JODOIN — C'est vrai, ça, vous êtes ben que trop bonne !

THERESE DUBUC — Que voulez-vous, y faut ben gagner son ciel !

MARIE-ANGE BROUILLETTE — On pourra dire que vous l'avez gagné, vot'ciel, vous !

THERESE DUBUC — Ah ! Mais j'me plains pas ! J'me
dis que le bon Dieu est bon, pis qu'y va m'aider à
passer à travers . . .

LISETTE DE COURVAL — C'est ben simple, vous
m'émouvez jusqu'aux larmes !

THERESE DUBUC — Ben, voyons donc, madame de
Courval, prenez sur vous !

DES-NEIGES VERRETTE — J'ai rien qu'une chose à
vous dire, madame Dubuc, vous êtes une sainte
femme !

GERMAINE LAUZON — Bon, ben astheur que les
timbres pis les livrets sont distribués, là, j'vas aller
chercher les plats d'eau, pis on va commencer, hein ?
On n'est pas icitte rien que pour placoter ! *(Elle
emplit quelques petits plats d'eau et les distribue.
Les femmes commencent à coller les timbres.)* Si
Linda s'rait là, aussi, a pourrait m'aider ! *(Elle sort
sur la galerie.)* Linda ! Linda ! Aie, Richard, as-
tu vu Linda ? Ben, par exemple ! A l'a le cœur
de téter des liqueurs pendant que j'me désâme ! Veux-
tu y dire de v'nir tu-suite icitte, mon trésor ? Tu
viendras voir madame Lauzon, demain, pis a va te
donner des pinottes pis des bonbons si y'en reste !
O.K. ? Va, mon cœur, pis dis-y de v'nir tu-suite !
(Elle rentre.) La p'tite maudite ! A m'avait pourtant promis de rester.

MARIE-ANGE BROUILLETTE — C'est toujours de
même, les enfants . . .

THERESE DUBUC — Ah ! pour ça, c'est ben ingrat !

GABRIELLE JODOIN — Parlez-moé-s'en pas ! C'est
pus vivable, chez nous ! Depuis qu'y'a commencé son
cours classique, là, mon p'tit Raymond, y'a changé

c'est ben effrayant ! On le r'connaît pus ! Y lève
quasiment le nez sur nous autres ! V'la rendu qu'y
nous parle latin à table ! Y nous fait jouer d'la musique, à part de ça, mes chers enfants, que c'est pas
écoutable ! Du classique à cœur de jour ! Pis quand
on veut pas regarder l'heure du concert, y nous pique
une crise ! Pis si y'a une chose que j'peux pas endurer, c'est ben la musique classique !

ROSE OUIMET — Ouache, moé non plus !

THERESE DUBUC — C'est pas écoutable, vous avez ben
raison. Beding par icitte, bedang par là . . .

GABRIELLE JODOIN — Raymond nous dit que c'est
parce qu'on comprend rien ! J'sais pas c'qu'on peut
comprendre là-dedans ! Parce qu'y'apprend toutes
sortes de folleries au collège, là, y nous méprise !
J'ai quasiment envie d'le retirer d'là, c'est pas mêlant !

TOUTES LES FEMMES — Que c'est donc ingrat, les
enfants, que c'est donc ingrat !

GERMAINE LAUZON — Remplissez vos livrets, là,
hein ? Y faut qu'y'en aie partout !

ROSE OUIMET — Ben oui, Germaine, ben oui, on
connaît ça, des timbres, c'est pas la première fois
qu'on en colle !

YVETTE LONGPRE — Vous trouvez pas qu'y commence à faire pas mal chaud, icitte ? On devrait
ouvrir le châssis, un peu . . .

GERMAINE LAUZON — Non, non, non, ça ferait des
courants d'air ! J'ai peur à mes timbres !

ROSE OUIMET — Voyons donc, Germaine, c'est pas
des moineaux, tes timbres, y s'envolleront pas ! En
parlant de moineaux, ça me fait penser, j'ai été voir
Bernard, mon plus vieux, dimanche passé . . . J'ai

jamais vu tant d'oiseaux dans une maison ! Une vraie cage à moineaux, c'maison-là ! C'est de sa faute à elle, ça. Une maniaque des oiseaux ! Pis a veut pas en tuer, a dit qu'a l'a le cœur trop tendre ! J'veux ben croire qu'a l'a le cœur tendre, mais y'a toujours ben des émittes ! Ecoutez ça, ça vaut la peine... *(Projecteur sur Rose Ouimet.)* J'vous dis, c't'une vraie folle ! J'ris, là, pis au fond, c'est pas drôle. Entéka... A Pâques, Bernard a acheté une cage à moineaux pour ses deux p'tits. C't'un gars à' taverne qui avait besoin d'argent pis qui y'a vendu ça pas cher... Elle, quand a l'a vu ça, est v'nue folle tu-suite, est quasiment tombée en amour avec ses oiseaux ! A en prenait plus soin que de ses enfants, c'est pas mêlant... Mais v'la-tu pas que les femelles oiseaux se mettent à pondre... Quand les p'tits oiseaux sont arrivés, Manon les trouvait ben cute, pis a s'est mis à dire qu'a l'avait pas le cœur des tuer ! Ça prend-tu une saprée folle ! Ça fait qu'y'es ont toutes gardés ! Toute la gang ! J'sais pas combien y'en a, j'ai jamais essayé des compter... Moé, quand j'vas chez eux, là, j'manque de v'nir folle à chaque fois, c'est pas ben ben mêlant ! Vers deux heures, là, a l'ouvre la cage, pis les oiseaux sortent. Y volent un peu partout dans maison, y se lâchent n'importe où, pis on est obligé de toute nettoyer... Pis là, là, quand vient le temps d'les faire rentrer dans leur cage, y veulent pus, ces oiseaux-là, c'est ben sûr ! Là, Manon crie aux p'tits : « Poignez les oiseaux, là, moman est fatiguée ! » Là, les p'tits s'garrochent après les oiseaux... C't'un vrai charivari dans' maison ! Moé, j'sors, c'est pas mêlant ! J'm'en vas

sur le balcon pis j'attends qui les aye toutes poignés !
(Les femmes rient.) Pis ces enfants-là sont pas tena-
bles ! J'les aime ben, c'est mes p'tits enfants, mais
bonyeu qu'y sont tannants ! Nos enfants étaient pas
de même, nous autres ! Vous direz c'que vous voudrez, les jeunes d'aujourd'hui savent pas élever leurs
enfants !

GERMAINE LAUZON — Ça c'est vrai !

YVETTE LONGPRE — Certain !

ROSE OUIMET — Dans not'temps, on n'aurait pas
laissé les enfants jouer dans la chambre de bain !
Ben vous auriez dû voir ça dimanche ! D'abord les
enfants sont entrés dans la chambre de bain en faisant semblant de rien pis y'ont toute reviré à l'envers !
Moé, j'osais pas parler, Manon dit toujours que j'parle
trop ! J'les entendais, pis j'fatiquais, vous comprenez ! Là, y'ont pris le papier de toilette pis y l'ont
toute déroulé. Manon a crié : « Voyons, les enfants, moman va se fâcher, là ! » Naturellement,
c'était comme si a'vait rien dit ! Y'ont continué !
J'les aurait étripés, les p'tits maudits ! Y'avaient l'air
d'avoir ben du fun, vous comprenez. Bruno, le
plus jeune (c'tu effrayant appeler un enfant de même,
moé, j'en r'viens pas encore !) entéka ... Bruno, le
plus jeune, est monté dans le bain tout habillé avec
le rouleau de papier de toilette déroulé enroulé autour
de lui, pis y'a ouvert l'eau ... Y trouvait ça drôle à
mort, c'est ben sûr ! Y faisait des bateaux avec le
papier mouillé, pis l'eau coulait partout ! Le vrai
dégât, là ! J'ai été obligée de m'en mêler ! J'leu'
s'ai donné chacun une bonne fessée sur les fesses pis
j'les ai envoyés se coucher !

YVETTE LONGPRE — Vous avez ben faite !

ROSE OUIMET — C'a faite toute une histoire, mais écoutez donc ! J'étais pas pour les laisser continuer comme ça ! Elle, la niaiseuse, a l'épluchait les pétates en écoutant le radio ! Eh ! qu'a l'est donc sans allure, c'te femme-là ! Au fond, a doit être heureuse, a s'occupe de rien ! J'vous dis, des fois, j'plains assez mon Bernard d'avoir marié ça ! Y'aurait dû rester avec moé, y'était ben mieux . . . .

(Elle éclate de rire. L'éclairage redevient normal.)

YVETTE LONGPRE — Est-tu folle, elle, hein ? Est pas tenable dans les parties ! A'donc le tour de nous faire rire !

GABRIELLE JODOIN — Ah ! pour ça, on a toujours eu du fun dans les parties, avec elle !

ROSE OUIMET — J'ai pour mon dire, que quand c'est le temps de rire, allons-y gaiement ! Même quand j'conte des histoires tristes, j'm'arrange toujours pour les rendre un peu comiques . . .

THERESE DUBUC — Vous êtes ben chanceuse de pouvoir dire ça, vous, madame Ouimet. C'est pas tout le monde . . .

DES-NEIGES VERRETTE — Vous, on comprend ça, vous devez pas avoir le goût de rire ben ben souvent . . . Vous êtes trop charitable, aussi ! Vous vous occupez trop des autres . . .

ROSE OUIMET — Pensez donc à vous, des fois, madame Dubuc. Vous sortez jamais.

THERESE DUBUC — J'ai pas le temps ! Quand c'est que vous voudriez que je sorte ? J'ai pas le temps ! Y faut que j'm'occupe d'elle . . . Ah ! pis si y'avait rien que ça . . .

GERMAINE LAUZON — Quoi, donc, Thérèse, dites-moé pas qu'y'a d'aut'chose !

THERESE DUBUC — Parlez-moé s'en pas ! Parce que mon mari fait un p'tit peu d'argent, là, on nous prend pour la banque de Jos Violon, dans'famille ! Encore hier, la belle-sœur d'une de mes belles-sœurs est venue pour quêter chez nous. Vous me connaissez, le cœur m'a fondu quand a m'a conté son histoire, ça fait que j'y ai donné du vieux linge que j'avais pu besoin... Ah ! est-tait ben contente... A pleurait comme une Madeleine. A m'a même embrassé les mains.

DES-NEIGES VERRETTE — J'comprends ! Vous le méritiez ben !

MARIE-ANGE BROUILLETTE — Moé, madame Dubuc, j'vous admire !

THERESE DUBUC — Dites pas ça...

DES-NEIGES VERRETTE — Oui, oui, oui, vous le méritez !

LISETTE DE COURVAL — Certainement, madame Dubuc, vous méritez notre admiration ! Je ne vous oublierai pas dans mes prières, je vous le dis !

THERESE DUBUC — Ah ! J'ai pour mon dire que si le bon Dieu a mis des pauvres sur la terre, faut les encourager !

GERMAINE LAUZON — Quand vous aurez fini de remplir un livret, là, au lieu d'les entasser sur la table pour rien, j'pense qu'on s'rait mieux d'les mettre dans une des caisses... Rose, viens m'aider, on va vider la caisse des livrets pis on mettra les livrets pleins dedans...

ROSE OUIMET — Ç'a ben du bon sens ! Bonyeu, y'en a, des livrets ! Faut-tu toute coller ça à soir ?

GERMAINE LAUZON — J'pense qu'on peut. D'abord, tout le monde est pas arrivé, hein, ça fait que . . .

DES-NEIGES VERRETTE — Qui c'est qui vient à part ça, donc, madame Lauzon ?

GERMAINE LAUZON — Rhéauna Bibeau, pis Angéline Sauvé sont supposées de venir après le salon mortuaire. Le mari d'la fille d'une amie d'enfance de Mlle Bibeau est mort . . . Un dénommé monsieur . . . Baril, j'pense . . .

YVETTE LONGPRE — Pas Rosaire Baril, toujours !

GERMAINE LAUZON — Oui, y'm'semble que c'est ça . . .

YVETTE LONGPRE — Mais j'l'ai ben connu, lui ! J'ai déjà sorti avec ! C'est ben pour dire, hein, j's'rais veuve, aujourd'hui !

GABRIELLE JODOIN — Aie, les filles, imaginez-vous donc que j'ai trouvé les huit z'erreurs dans le journal d'la semaine passée . . . C'tait la première fois que ça m'arrivait . . . Ça fait que j'ai décidé de concourir . . .

YVETTE LONGPRE — Pis, avez-vous gagné quequ'chose, toujours ?

GABRIELLE JODOIN — J'ai-tu l'air de quequ'un qui a déjà gagné quequ'chose !

THERESE DUBUC — Mais que c'est que vous allez faire avec tous ces timbres-là, donc Germaine ?

GERMAINE LAUZON — J'vous ai pas conté ça ? J'vas toute meubler ma maison en neuf ! Attendez . . . Où c'est que j'ai mis le cataloye . . . Ah ! le v'là ! Regardez ça, Thérèse, j'vas toute avoir c'qu'y'a d'dans !

41

THERESE DUBUC — C'est pas creyable! Tout ça vous coûtera pas une cenne?

GERMAINE LAUZON — Pas une cenne! C'est une vraie belle chose, ces concours-là, vous savez!

LISETTE DE COURVAL — C'est pas c'que madame Brouillette disait tout à l'heure . . .

GERMAINE LAUZON — Comment ça?

MARIE-ANGE BROUILLETTE — Voyons, madame de Courval!

ROSE OUIMET — Ben quoi, y faut pas avoir peur de ses convictions, madame Brouillette! Vous disiez tout à l'heure, que vous étiez contre les concours parce que y'a rien qu'une famille qui en profite!

MARIE-ANGE BROUILLETTE — C'est vrai, aussi! Moé, toutes ces histoires de tirages de machines, de voyages, pis de timbres, chus contre!

GERMAINE LAUZON — C'est ben parce que vous avez jamais rien gagné!

MARIE-ANGE BROUILLETTE — Peut-être, peut-être, mais n'empêche que c'est pas juste pareil!

GRMAINE LAUZON — Comment ça, c'est pas juste? Vous dites ça parce que vous êtes jalouse, c'est toute! Vous l'avez dit vous-même, que vous étiez jalouse, quand vous êtes arrivée! J'aime pas les jaloux, moé, madame Brouillette, j'les aime pas pantoute, les jaloux! Pis si vous voulez le savoir, là, les jaloux, chus pas capable d'les endurer!

MARIE-ANGE BROUILLETTE — D'abord que c'est comme ça, j'm'en vas!

GERMAINE LAUZON — Ben non, ben non, allez-vous-en-pas, là! J'm'excuse . . . chus toute énarvée, à soir, pis j'sais pus c'que j'dis! On en parlera pus!

Vous avez le droit de penser c'que vous voulez, après toute, c'est votre droit ! Assisez-vous, là, pis collez . . .

ROSE OUIMET — A l'a peur de perdre une colleuse, hein, not'sœur !

GABRIELLE JODOIN — Chut, farme-toé, pis mêle-toé de tes affaires ! T'as toujours le nez fourré où c'est que t'as pas d'affaire !

ROSE OUIMET — T'es ben bête, donc, toé ! T'es pas parlable, à soir !

MARIE-ANGE BROUILLETTE — C'est correct, d'abord, j'vas rester. Mais chus contre pareil !
(A partir de ce moment-là, Marie-Ange Brouillette volera tous les livrets de timbres qu'elle remplira. Les autres la verront faire dès le début, sauf Germaine, évidemment, et décideront d'en faire autant.)

LISETTE DE COURVAL — J'ai découvert la charade mystérieuse dans le Châtelaine, le mois dernier . . . C'était bien facile . . . Mon premier est un félin . . .

ROSE OUIMET — Un flim ?

LISETTE DE COURVAL — Un félin. . . bien voyons. . . « chat » . . .

ROSE OUIMET — Un chat, c't'un félin . . .

LISETTE DE COURVAL — Bien . . . oui . . .

ROSE OUIMET, *en riant* — Ben tant pis pour lui !

LISETTE DE COURVAL — Mon second est un rongeur . . . bien . . . « rat ».

ROSE OUIMET — Mon mari aussi, c't'un rat, pis c'est pas un rongeur . . . Est-tu folle, elle, avec ses folleries !

LISETTE DE COURVAL — Mon troisième est une préposition.

DES-NEIGES VERRETTE — Une préposition d'amour ?

LISETTE DE COURVAL, *après un soupir* — Une préposition comme dans la grammaire ... « de ». Mon tout est un jeu de société ...

ROSE OUIMET — La bouteille !

GABRIELLE JODOIN — Farme-toé donc, Rose, tu comprends rien ! *(A Lisette.)* Le Scrabble ?

LISETTE DE COURVAL — C'est pourtant pas difficile ... Chat-rat-de ... Charade !

YVETTE LONGPRE — Ah ... c'est quoi, ça, une charade ?

LISETTE DE COURVAL — Je l'ai trouvée tout de suite ... c'était tellement simple ...

YVETTE LONGPRE — Pis, avez-vous gagné quequ'-chose, toujours ?

LISETTE DE COURVAL — Ah ! j'ai pas envoyé ma réponse ... J'ai pas besoin de ça, moi ... c'était seulement pour le défi que je l'ai faite ... J'ai-tu l'air de quelqu'un qui a de besoin de ces affaires-là, moé ... euh, moi ?

ROSE OUIMET — Moé, là, c'est les mots mystérieux, les mots inversés, les mots cachés, les mots croisés, les mots entrecroisés, pis toutes ces affaires-là que j'aime ... Chus spécialiste là-dedans ! J'envoye mes réponses partout ... Ça me coûte quasiment deux piasses de timbres par semaines, c'est pas ben ben mêlant ...

YVETTE LONGPRE — Pis, avez-vous déjà gagné quequ'chose, toujours ?

ROSE OUIMET, *en regardant vers Germaine* — J'ai-tu l'air de quequ'un qui a déjà gagné quequ'chose ?

THERESE DUBUC — Madame Dubuc, voulez-vous lâcher mon plat d'eau... Bon, ça y'est, a l'a toute renversée ! Maudit que chus donc tannée !
(Elle flanque un coup de poing sur la tête de sa belle-mère qui se tranquillise un peu.)

GABRIELLE JODOIN — Bonyeu, vous y allez raide ! Vous avez pas peur d'y faire mal ?

THERESE DUBUC — Ben non, ben non, est habituée. Pis c'est le seul moyen d'la tranquilliser. C'est mon mari qui a découvert ça ! On dirait que quand on y donne un bon coup de poing sur la tête, ça la paralyse pour quequ'menutes... A reste dans son coin pis on est tranquille...
(Noir. Projecteur sur Yvette Longpré.)

YVETTE LONGPRE — Ma fille Claudette m'a donné le premier étage de son gâteau de noces, quand est revenue de voyage de noces. Vous pensez si j'étais fière ! C'est assez beau, aie ! C'est fait comme un sanctuaire d'église, tout en sucre ! Y'a un escalier en velours rouge, pis une plate-forme au boute. Là, y'a les mariés. Deux p'tites poupées ben cute, habillées en mariés pis toute Y'a un prêtre aussi qui les bénit. En arrière de lui, y'a un autel. En sucre. C'est de toute beauté de voir ça ! Le gâteau nous avait coûté assez cher, aussi ! C'tait un gâteau à six étages, vous savez ! C'tait pas toute du gâteau, par exemple. Ç'a'rait été ben que trop cher ! Y'avait juste les deux du bas en gâteau, le reste, c'tait du bois. Mais ça paraissait pas, par exemple. Ma fille m'a donné l'étage du haut en dessous d'une cloche de verre, toujours. C'est ben beau, mais j'avais peur que le sucre se gâte, à la longue... Vous comprenez,

45

sans air ! Ça fait que j'ai pris le couteau de mon mari exiprès pour couper la vitre, là, pis j'ai fait un trou dans le haut de la cloche. Comme ça, le gâteau va être aéré comme y faut, pis y'aura pas de danger qu'y pourisse !

DES-NEIGES VERRETTE — Moé aussi j'ai concouru à quequ'chose y'a pas longtemps . . . Le slogan-mystère que ça s'appelait . . . Y fallait trouver un slogan pour une librairie . . . La librairie Hachette . . . Ça fait que j'en ai trouvé une : « Achète bien, qui achète chez Hachette ! » C'est beau, hein ?

YVETTE LONGPRE — Pis, avez-vous gagné quequ' chose, toujours ?

DES-NEIGES VERRETTE — J'ai-tu l'air de quelqu'un qui a déjà gagné quequ'chose ?

GERMAINE LAUZON — Ecoute donc, Rose, j't'ai vue couper ton gazon, à matin . . . Tu devrais t'acheter une tondeuse !

ROSE OUIMET — Ben non ! Les ciseaux, c'est parfait pour moé. Ça m'aide à garder ma shape.

GERMAINE LAUZON — J'te voyais forcer comme une bonne . . .

ROSE OUIMET — Ça me fait du bien, j'te dis. Pis à part de ça, j'ai pas d'argent pour me payer une tondeuse ! Si j'arais d'l'argent, y'a ben de quoi que j'achèterais avant ça !

GERMAINE LAUZON — Moé, j'vas en avoir, une tondeuse, avec mes timbres . . .

DES-NEIGES VERRETTE — A commence à me tomber sur les nerfs avec ses timbres, elle !
(Elle cache un livret de timbres dans son sac à main.)

ROSE OUIMET — Voyons donc, j'sais pas à quoi ça pourrait te servir, tu restes dans un troisième !

GERMAINE LAUZON — Ah ! ça peut toujours servir ! Pis on sait pas, on peut toujours déménager, hein ?

DES-NEIGES VERRETTE — J'suppose qu'a va nous dire qu'y faudrait une nouvelle maison pour mettre tout c'qu'a va avoir avec ses verrats de timbres !

GERMAINE LAUZON — Tu comprends, y nous faudrait une plus grande maison pour mettre tout c'que j'vas avoir avec mes timbres ! *(Des-Neiges Verrette, Marie-Ange Brouillette et Thérèse Dubuc cachent chacune deux ou trois livrets de timbres.)* Si tu veux, j't'la prêterai, ma tondeuse, Rose . . .

ROSE OUIMET — Jamais ! J'aurais ben qu'trop peur d'la casser ! J'srais obligée de ramasser des timbres pendant deux ans, après, pour te rembourser !
(Les femmes rient.)

GERMAINE LAUZON — T'es donc smatte !

MARIE-ANGE BROUILLETTE — Es-tu bonne, celle-là ! Cré madame Ouimet, est pas battable !

THERESE DUBUC — J'ai découvert la voix mystérieuse, au radio, la semaine passée . . . c'tait la voix à Duplessis . . . Une vieille voix . . . C'est mon mari qui l'a trouvée . . . Ça fait que j'ai envoyé vingt-cinq lettres, là, pis pour me porter chance, j'ai mis le nom de mon p'tit dernier . . . Paolo Dubuc . . .

YVETTE LONGPRE — Pis, avez-vous gagné quequ'-chose, toujours ?

THERESE DUBUC, *en regardant Germaine* — J'ai-tu l'air de quequ'un qui a déjà gagné quequ'chose ?

47

GABRIELLE JODOIN — Vous savez pas c'que mon mari va m'acheter pour ma fête ?

ROSE OUIMET — Deux paires de bas de nylon comme l'année passée, j'suppose ?

GABRIELLE JODOIN — Ben non ! Un manteau de fourrure ! Enfin, pas d'la vraie fourrure, là, mais d'la synthétique. D'abord, moé, j'trouve que ça sert pus à rien d'acheter d'la vraie fourrure. Les imitations sont aussi belles aujourd'hui, pis même, des fois, sont plus belles !

LISETTE DE COURVAL — Moi, je ne trouve pas ça . . .

ROSE OUIMET — On sait ben, elle, a l'a là grosse étoile de vison !

LISETTE DE COURVAL — Moi, je dis qu'il n'y aura jamais rien pour remplacer la vraie fourrure véritable. D'ailleurs, j'vais changer mon étole de vison, l'automne prochaine. Ça fait trois ans que je l'ai, puis elle commence à être pas mal maganée . . . Ah ! est encore bonne, mais . . .

ROSE OUIMET — Farme donc ta grande yueule, maudite menteuse ! On le sait que ton mari se fend le cul en quatre pour pouvoir emprunter de l'argent pour te payer des fourrures pis des voyages ! C'est pas plus riche que nous autres pis ça pète plus haut que son trou ! J'ai mon verrat de voyage !

LISETTE DE COURVAL — Si votre mari serait intéressé d'acheter mon étole, madame Jodoin, je lui vendrais pas cher. Comme ça, vous auriez du vrai vison. J'ai pour mon dire qu'entre s'amis . . .

YVETTE LONGPRE — Moé, j'ai envoyé mes réponses aux « objets grossis » . . . Ben, vous savez, là, les affaires qu'y posent de proche-proche-proche, là,

48

pis qu'y faut deviner c'est quoi... Ben, j'les ai trouvés... Y'avait une avis, un tourne-avis... pis un grand crochet tout croche...

LES AUTRES FEMMES — Pis...

(Yvette Longpré se contente de regarder Germaine et se rassoit.)

GERMAINE LAUZON — L'autre jour, Daniel, le p'tit de madame Robitaille, est tombé en bas du deuxième. Y s'est même pas faite une égratignure! C'est ben pour dire, hein?

MARIE-ANGE BROUILLETTE — Faut dire aussi qu'y' tombé dans le hamac de madame Dubé, pis que monsieur Dubé dormait dans le hamac quand le p'tit est tombé...

GERMAINE LAUZON — Eh oui, pis monsieur Dubé est à l'hôpital! Y'en a pour trois mois...

DES-NEIGES VERRETTE — Ça me fait penser à une histoire, en parlant d'accident...

ROSE OUIMET — Quelle, donc, mademoiselle Verrette?

DES-NEIGES VERRETTE — Ah! est trop osée, j'oserais pas...

ROSE OUIMET — Envoyez donc, mademoiselle Verrette! D'abord, on le sait que vous en savez ben, des histoires sucrées.

DES-NEIGES VERRETTE — Non, ça me gêne, à soir, j'sais pas pourquoi...

GABRIELLE JODOIN — Voyons donc, mademoiselle Verrette, faites-vous pas prier pour rien, là... D'abord, vous savez ben que vous allez finir par nous la conter, vot'histoire...

49

DES-NEIGES VERRETTE — Bon . . . correct, d'a-
bord . . . C't'ait une religieuse qui s'était faite violer
dans une ruelle . . .

ROSE OUIMET — Ça commence ben !

DES-NEIGES VERRETTE — Ça fait que le lendemain,
on la retrouve dans le fond d'une cour, toute éfouer-
rée, la robe r'montée par-dessus la tête . . . A gémis-
sait sans bon sens, vous comprenez . . . Ça fait qu'y'a
un journaliste qui s'approche pis qui y demande :
« Pourriez-vous, ma sœur, nous donner quelques impressions sur la chose horrible qui vient de vous
arriver ? » Ça fait que la sœur ouvre les yeux pis
murmure : « Encore ! Encore ! »
(Toutes les femmes éclatent de rire, sauf Lisette de
Courval qui semble scandalisée et Yvette Longpré qui
ne comprend pas l'histoire.)

ROSE OUIMET — Ah ! ben est bonne en écœurant,
celle-là ! Ça fait longtemps que j'en avais pas entendu une bonne de même . . . C'est pas mêlant, j'en
braille ! Cré mademoiselle Verrette, j'me d'mande où
c'est que vous prenez toute ça, ces histoires-là . . .

GABRIELLE JODOIN — Tu sais ben que c'est son
commis voyageur.

DES-NEIGES VERRETTE — Madame Jodoin, j'vous
en prie !

ROSE OUIMET — Ah ! oui, c'est vrai, son commis
voyageur . . .

LISETTE DE COURVAL — Je ne comprends pas.

GABRIELLE JODOIN — Y'a un commis voyageur qui
vient vendre des brosses à mademoiselle Verrette tous
les mois . . . J'pense qu'a le trouve de son goût . . .

DES-NEIGES VERRETTE — Madame Jodoin, franchement !

ROSE OUIMET — En tous les cas, on peut dire que mademoiselle Verrette est la mieux grayée en fait de brosses, dans la paroisse ! J'l'ai justement vu, vot' commis voyageur, l'aut'jour, mademoiselle Verrette... Y'était au restaurant... Y'a ben dû aller vous voir ?

DES-NEIGES VERRETTE — Oui, y'est venu... Mais j'vous assure qu'y'a rien entre moé pis lui, par exemple !

ROSE OUIMET — On dit ça...

DES-NEIGES VERRETTE — Hon ! Mon Dieu, madame Ouimet, des fois, j'trouve que vous avez la tête assez croche ! Vous voyez toujours du mal où c'est qu'y'en a pas ! C't'un bon garçon, monsieur Simard !

ROSE OUIMET — Reste à savoir si vous, vous êtes une bonne fille ! Ben non, ben non, mademoiselle Verrette, fâchez-vous pas, là ! Vous savez ben que j'dis ça rien que vous étriver !

DES-NEIGES VERRETTE — Vous m'avez faite assez peur ! Moé, une demoiselle si respectable ! Henri... euh... monsieur Simard m'a justement parlé d'un projet quand y'est venu... J'ai une invitation à vous faire de sa part, à tout le monde... Y voudrait que j'organise une démonstration, la semaine prochaine... Y m'a choisie parce qu'y connaît ma maison... Ça s'rait pour dimanche en huit... Après le chapelet. Y faut que j'ramasse au moins dix personnes pour avoir mon cadeau... Vous savez, y donne des belles tasses fancies à celle qui fait la démonstration... Des vraies belles tasses de fantaisie... Vous devriez les voir, sont assez belles ! C'est des souvenirs qu'y'a rapportés des chutes Niagara... Y'a dû payer ça ben cher...

ROSE OUIMET — On va y'aller certain ! Hein, les filles ? Moé, j'aime assez ça, des démonstrations ! Y va-tu y avoir des prix de présence ?

DES-NEIGES VERRETTE — Ben, j'sais pas, là. Mais y devrait. Y devrait... Pis j'vas faire un p'tit lunch...

ROSE OUIMET — Ça va être mieux qu'icitte ! J'ai pas encore vu le bout du nez d'une bouteille de liqueur ! *(Olivine Dubuc essaie de mordre sa belle-fille.)*

THERESE DUBUC — Encore ! Madame Dubuc, si vous continuez, j'vas vous enfermer dans les toilettes, pis vous allez rester là toute la soirée ! *(Noir, Projecteur sur Des-Neiges Verrette.)*

DES-NEIGES VERRETTE — La première fois que j'l'ai vu, j'l'ai trouvé ben laid... C'est vrai qu'y'est pas beau tu-suite ! Quand y'a ouvert la porte, y'a enlevé son chapeau, pis y m'a dit : « Seriez-vous intéressée pour acheter des brosses, ma bonne dame ? » J'y ai fermé la porte au nez ! J'laisse jamais rentrer d'homme dans la maison ! On sait jamais c'qui peut arriver... Y'a rien que le p'tit gars de « La Presse » que j'laisse rentrer. Lui, y'est trop jeune, encore, y pense pas à mal. Un mois après, mon gars des brosses est revenu. Y faisait une tempête de neige à tout casser, ça fait que j'l'ai laissé rentrer dans le portique. Un coup qu'y'a été rendu dans'maison, j'ai eu peur, mais j'me sus dit qu'y'avait pas l'air méchant, même si y'était pas ben beau... Y'est toujours sur son trente-six, pas un cheveu qui dépasse... Un vrai monsieur ! Pis tellement ben élevé ! Y m'a vendu deux-trois

52

brosses, toujours, pis y m'a montré son cataloye. Y'en
avait une qui m'intéressait, mais y l'avait pas avec lui,
ça fait qu'y m'a dit que je pouvais donner une com-
mande. Pis y'est r'venu chaque mois depuis c'temps-
là. Des fois, j'achète rien. Y vient juste jaser quequ'menutes. Y'est tellement fin ! Quand y parle, on
oublie qu'y'est laid ! Pis y sait tellement de choses
intéressantes ! Aie, y voyage à tous les coins d'la
province, c't'homme-là ! J'pense . . . j'pense que je
l'aime . . . J'sais que ça pas d'allure, j'le vois rien
qu'une fois par mois, mais on est si ben ensemble !
Chus tellement heureuse quand y est là ! C'est la première fois que ça m'arrive ! C'est la première fois !
Les hommes se sont jamais occupés de moé, avant.
J'ai toujours été une demoiselle . . . seule. Lui, y
m'raconte ses voyages, y m'raconte des histoires . . .
Des fois, sont pas mal sales, mais sont tellement
drôles ! Pis y faut dire que j'ai toujours aimé les histoires un peu salées . . . J'trouve que ça fait du bien de
conter des histoires cochonnes, des fois . . . Ah ! sont
pas toutes cochonnes, ses histoires, ah ! non, y'en a
des correctes ! Des histoires osées, ça fait pas longtemps qu'y m'en conte . . . Des fois, sont tellement
cochonnes, que j'rougis. La dernière fois qu'y'est
v'nu, y m'a pris la main parce que j'avais rougi. J'ai
manqué v'nir folle ! Ça m'a toute revirée à l'envers
de sentir sa grosse main su'a mienne ! J'ai besoin de
lui, asthcur ! J'voudrais pas qu'y s'en aille pour toujours . . . Des fois, j'rêve, mais pas souvent ! J'rêve . . . qu'on est mariés. J'ai besoin qu'y vienne me
voir ! C'est le premier homme qui s'occupe de moé !
J'veux pas le pardre ! J'veux pas le pardre ! Si y

s'en va, j'vas rester encore tu-seule, pis j'ai besoin . . .
d'aimer . . . *(Elle baisse les yeux et murmure.)* J'ai
besoin d'un homme.

*(Les projecteurs se rallument. Entrent Linda Lauzon,
Ginette Ménard et Lise Paquette.)*

GERMAINE LAUZON — Ah ! te v'là, toé ! Y'est quasiment temps !

LINDA LAUZON — J'étais au restaurant . . .

GERMAINE LAUZON — Je les sais ben que trop ben,
que t'étais au restaurant ! Continue à fréquenter les
restaurants du coin, ma p'tite fille, pis tu vas finir comme ta tante Pierrette : dans une maison mal farmée !

LINDA LAUZON — Voyons donc, moman, vous faites
des drames avec rien !

GERMAINE LAUZON — J't'avais demandé de rester. . .

LINDA LAUZON — J'étais rien qu'allée chercher des
cigarettes, mais j'ai rencontré Lise pis Ginette . . .

GERMAINE LAUZON — C'est pas une raison ! Tu
savais que j'recevais, à soir, pour que c'est faire que
t'es pas revenue tu-suite ? Tu fais exprès pour me
faire damner, Linda, tu fais exprès pour me faire
damner ! Tu veux me faire sacrer devant le monde !
Hein, c'est ça, tu veux me faire sacrer devant le monde ? Ben crisse, tu vas avoir réussi ! Mais t'as pas
fini avec moé, ma p'tite fille ! Tu perds rien pour
attendre, Linda Lauzon, j't'en passe un papier !

ROSE OUIMET — C'est pas le temps d'la chicaner,
Germaine !

GABRIELLE JODOIN — Toé, mêle-toé pas encore des
affaires des autres !

LINDA LAUZON — Quand même que j's'rais un peu
en r'tard, mon Dieu, c'est pas la fin du monde !

LISE PAQUETTE — C'est de not'faute, madame Lauzon !

GINETTE MENARD — Oui, c'est de not'faute !

GERMAINE LAUZON — Je le sais que c'est de vot'faute ! J'y ai pourtant dit à Linda de pas fréquenter les coureuses de restaurants ! Mais non, a fait toute pour me contrarier ! C'est ben simple, des fois, j'l'étriperais !

ROSE OUIMET — Voyons, Germaine . . .

GABRIELLE JODOIN — Rose, j't'ai dit de te mêler de tes affaires ! M'as-tu compris ! Leurs affaires, ça te'r'garde pas !

ROSE OUIMET — T'es donc ben fatiquante, toé ! Achalle-moi donc pas ! On n'est pas pour laisser Germaine chicaner Linda pour rien !

GABRIELLE JODOIN — C'est pas de nos affaires !

LINDA LAUZON — Laissez-la donc me défendre, vous, ma tante !

GABRIELLE JODOIN — Linda, sois polie avec ta marraine si tu l'es pas avec ta mère !

GERMAINE LAUZON — Tu vois comment c'est qu'a l'est ! C'est toujours de même, avec elle ! C'est pourtant pas comme ça que je l'ai élevée !

ROSE OUIMET — Parlons-en d'la manière que t'élèves tes enfants !

GERMAINE LAUZON — Ah ! ben, toé, par exemple, t'as rien à dire . . . Tes enfants . . .

LINDA LAUZON — Allez-y, ma tante, donnez-y une fois pour toutes ! Vous êtes capable d'y parler, à ma mère, vous !

GERMAINE LAUZON — Que c'est qui te prend, toé, tout d'un coup, de te mettre du côté de ta tante Rose ?

Que c'est que t'as dit, quand a l'a téléphoné, à soir, hein, que c'est que t'as dit ? T'en rappelles-tu de que c'est que t'as dit ?

LINDA LAUZON — C'tait pas pareil . . .

ROSE OUIMET — Quoi'que c'est qu'a l'a dit, donc ?

GERMAINE LAUZON — Ben, c'est elle qui a répond, quand t'as téléphoné, hein ? Pis a l'a pas dit « Un instant s'il-vous-plaît », ça fait que j'y ai dit d'être plus polie avec toé . . .

LINDA LAUZON — Moman, voyons, taisez-vous donc ! C'est pas nécessaire . . .

ROSE OUIMET — Je veux le savoir, de que c'est que t'as dit, Linda !

LINDA LAUZON — Ça comptait pas, ma tante, j'étais en maudit !

GERMAINE LAUZON — A l'a dit : « C'est rien que ma tante Rose, j'sais pas pourquoi j's'rais polie avec elle ! »

ROSE OUIMET — Ah ! ben par exemple . . . J'ai mon voyage !

LINDA LAUZON — J'vous le dis, ma tante, j'tais en maudit !

ROSE OUIMET — J'te pensais pas de même, Linda ! Tu me désappointes, tu me désappointes ben gros ma p'tite fille !

GABRIELLE JODOIN — Voyons donc, Rose, laisse-les donc se chicaner tu-seules !

ROSE OUIMET — Certain que j'vas les laisser se chicaner ! Envoye, vas-y, Germaine, manque-la pas, ta fille ! Es-tu mal élevée, c't'enfant-là, rien qu'un peu ! M'as dire comme ta mère, tu vas finir comme ta tante Pierrette, si tu continues, ma fille ! Si j'me r'tenais pas, j'y mettrais ma main dans'face !

GERMAINE LAUZON — J'voudrais ben voir ça ! Que j'te voyes donc toucher à mes enfants ! Moé, j'ai le droit de les fesser, mais y'a personne qui va leu'toucher, par exemple !

THERESE DUBUC — Arrêtez donc un peu de vous disputer, chus fatiquée, moé !

DES-NEIGES VERRETTE — Ben oui, c'est fatiquant !

THERESE DUBUC — Vous allez réveiller ma belle-mère, pis a va recommencer à nous achaler !

GERMAINE LAUZON — C'était d'la laisser chez vous, aussi, vot'belle-mère !

THERESE DUBUC — Germaine Lauzon !

GABRIELLE JODOIN — Ben quoi ! A l'a raison ! On va pas dans une veillée avec une vieille de quatre-vingt-treize ans !

LISETTE DE COURVAL — C'est vous, madame Jodoin, qui disiez à votre sœur de se mêler de ses affaires, tout à l'heure !

GABRIELLE JODOIN — Ah ! ben, vous, par exemple, la pincée, lâchez-moé lousse ! Collez vos timbres, pis farmez-la ben juste, parce que sans ça, m'en va vous la fermer ben juste, moé !
(Lisette de Courval se lève.)

LISETTE DE COURVAL — Gabrielle Jodoin !
(Olivine Dubuc, qui joue depuis quelques instants avec un plat d'eau, l'échappe par terre.)

THERESE DUBUC — Madame Dubuc, attention !

GERMAINE LAUZON — Maudite marde ! Mon dessus de table !

ROSE OUIMET — A m'a toute arrosée, la vieille chipie !

THERESE DUBUC — C'est pas vrai ! Vous étiez trop loin !

ROSE OUIMET — C't'aussi ben de me dire en pleine face que ch't'une maudite menteuse !

THERESE DUBUC — Oui, vous êtes rien qu'une maudite menteuse, Rose Ouimet !

GERMAINE LAUZON — Attention à votre belle-mère, a va tomber !

DES-NEIGES VERRETTE — Ça y'est, la v'là encore à terre !

THERESE DUBUC — V'nez m'aider, quelqu'un !

ROSE OUIMET — Pas moé, en tout cas !

GABRIELLE JODOIN — Ramassez-la tu-seule !

DES-NEIGES VERRETTE — J'vas vous aider, moé, madame Dubuc.

THERESE DUBUC — Merci, Mademoiselle Verrette . . .

GERMAINE LAUZON — Pis toé, Linda, t'as besoin de filer doux pour le restant d'la soirée . . .

LINDA LAUZON — J'ai ben envie de sacrer mon camp . . .

GERMAINE LAUZON — Fais ça, ma p'tite maudite, pis tu r'mettras pus jamais les pieds icitte !

LINDA LAUZON — On les connaît, vos menaces !

LISE PAQUETTE — Arrête donc, Linda . . .

THERESE DUBUC — T'nez-vous donc un peu, madame Dubuc, raidissez-vous ! Faites pas exiprès pour vous tenir molle !

MARIE-ANGE BROUILLETTE — J'vas tirer la chaise . . .

THERESE DUBUC — Merci ben . . .

ROSE OUIMET — Moé, à sa place, j'pousserais la chaise
pis . . .

GABRIELLE JODOIN — R'commence pas, Rose !

THERESE DUBUC — Eh ! qu'on a d'la misère . . .

GABRIELLE JODOIN — R'garde la de Courval qui
continue à coller ses timbres . . . La maudite pincée !
A s'occupe de rien ! On n'est pas assez intéressantes
pour elle, j'suppose !

(Noir. Projecteur sur Lisette de Courval.)

LISETTE DE COURVAL — On se croirait dans une
basse-cour ! Léopold m'avait dit de ne pas venir ici,
aussi ! Ces gens-là sont pus de notre monde ! Je
regrette assez d'être venue ! Quand on a connu la vie
de transatlantique pis qu'on se retrouve ici, ce n'est
pas des farces ! J'me revois, là, étendue sur une chaise
longue, un bon livre de Magali sur les genoux . . . Pis
le lieutenant qui me faisait de l'œil . . . Mon mari
disait que non, mais y'avait pas tout vu ! Une bien
belle pièce d'homme ! J'aurais peut-être dû l'encourager un peu plus . . . Puis l'Urope ! Le monde sont
donc bien élevé par là ! Sont bien plus polis qu'ici !
On en rencontre pas des Germaine Lauzon, par là !
Y'a juste du grand monde ! A l'aris, tout le monde
perle bien, c'est du vrai français partout . . . C'est pas
comme icitte . . . J'les méprise toutes ! Je ne remettrai jamais les pieds ici ! Léopold avait raison, c'monde-là, c'est du monde *cheap,* y faut pas les fréquenter,
y faut même pas en parler, y faut les cacher ! Y savent
pas vivre ! Nous autres on est sortis de là, pis on
devrait pus jamais revenir ! Mon Dieu que j'ai donc
honte d'eux-autres !

(Les lumières se rallument.)

59

LINDA LAUZON — Bon, ben salut, j'm'en vas . . .

GERMAINE LAUZON — Tu le fais exiprès ! J't'avertis, Linda . . .

LINDA LAUZON — « J't'avertis, Linda », c'est toute c'que vous êtes capable de dire, ça, moman !

LISE PAQUETTE — Fais pas la folle, Linda !

GINETTE MENARD — Reste donc !

LINDA LAUZON — Non, j'm'en vas ! J'ai pas envie qu'a continue à me crier des bêtises de même toute la soirée !

GERMAINE LAUZON — Linda, j't'ordonne de rester icitte !

VOIX D'UNE VOISINE — Allez-vous arrêter de crier, en haut ? On s'entend pus !

(Rose Ouimet sort sur la galerie.)

ROSE OUIMET — Rentrez donc dans vot'maison, vous !

LA VOISINE — C'est pas à vous que j'parlais !

ROSE OUIMET — Oui, c't'à moé, j'crie aussi fort que les autres !

GABRIELLE JODOIN — Rentre donc, Rose !

DES-NEIGES VERRETTE — Occupez-vous-en donc pas !

LA VOISINE — J'vas appeler la police !

ROSE OUIMET — C'est ça, appelez-la, on manque justement d'hommes !

GERMAINE LAUZON — Rose Ouimet, rentre dans' maison ! Pis toé, Linda . . .

LINDA LAUZON — J'm'en vas. Salut !

(Elle sort avec Ginette et Lise.)

GERMAINE LAUZON — Est partie ! Est partie ! Ça se peux-tu ? C'est pas possible ! A veut me faire mourir ! Y faut que j'casse quequ'chose ! Y faut que j'casse quequ'chose !

ROSE OUIMET — Voyons, prends su-toé, Germaine !

GERMAINE LAUZON — Me faire honte de même devant tout le monde ! *(Elle éclate en sanglots.)* C'est ben simple . . . j'ai assez honte . . .

GABRIELLE JODOIN — C'est pas si pire que ça, Germaine . . .

VOIX DE LINDA — Ah ! ben, si c'est pas mademoiselle Sauvé. Allô !

VOIX D'ANGELINE SAUVE — Bonsoir ma belle fille, comment ça va ?

ROSE OUIMET — Les v'lon ! Mouche-toé, Germaine !

VOIX DE LINDA LAUZON — Ça va pas mal . . .

VOIX DE RHEAUNA BIBEAU — Où c'est que vous allez, de même ?

LINDA LAUZON — J'm'en allais au restaurant, mais astheur que vous êtes là, j'pense que j'vas rester !

(Entrent Linda, Ginette, Lise, Rhéauna et Angéline.)

ANGELINE SAUVE — Bonsoir tout le monde !

RHEAUNA BIBEAU — Bonsoir.

LES AUTRES — Bonsoir, bonsoir, comment ça va ?

RHEAUNA BIBEAU — J'vous dis que vous restez haut vrai, madame Lauzon ! Chus toute essoufflée !

GERMAINE LAUZON — Assisez-vous donc . . .

ROSE OUIMET — Vous êtes essoufflées ? C'est pas ben grave . . . Vous allez voir ça, ma sœur, a va faire poser un élévateur avec ses timbres.

(Les femmes rient, sauf Rhéauna et Angéline qui ne savent pas comment prendre cette phrase.)

GERMAINE LAUZON — T'es donc drôle, Rose Ouimet ! Linda, va chercher d'aut'chaises . . .

LINDA LAUZON — Où, ça ? Y'en a pus !

GERMAINE LAUZON — Va demander à madame Bergeron si a pourrait pas nous en passer quequ's'unes . . .

LINDA LAUZON — V'nez, les filles . . .

GERMAINE LAUZON, *bas à Linda* — On fait la paix pour à soir, mais attends que la visite soit partie . . .

LINDA LAUZON — Vous me faites pas peur ! Si chus rev'nue, c'est parce que mademoiselle Sauvé pis mademoiselle Bibeau sont arrivées, c'est pas parce que j'avais peur de vous !

(Linda sort avec Lise et Ginette.)

DES-NEIGES VERRETTE — Prenez ma chaise, mademoiselle Bibeau . . .

THERESE DUBUC — Ben oui, v'nez vous asseoir à côté de moé, un peu . . .

MARIE-ANGE BROUILLETTE — Assisez-vous icitte, mademoiselle Bibeau.

ANGELINE SAUVE ET RHEAUNA BIBEAU — Merci, merci bien.

RHEAUNA BIBEAU — Vous collez des timbres, à ce que je vois ?

GERMAINE LAUZON — Ben oui. Y'en a un million !

RHEAUNA BIBEAU — Seigneur Dieu ! Etes-vous rendues loin ?

ROSE OUIMET — Pas mal, pas mal . . . Moé, j'ai la langue toute paralysée . . .

RHEAUNA BIBEAU — Vous collez ça avec vot'langue ?

GABRIELLE JODOIN — Ben non, voyons, c'tait une farce plate !

ROSE OUIMET — A comprend toujours aussi vite, la Bibeau !

ANGELINE SAUVE — On va vous donner un p'tit coup de main . . .

ROSE OUIMET, *avec un rire gras* — J'ai eu peur, j'pensais qu'a voulait nous donner un coup de langue . . .

GABRIELLE JODOIN — T'es donc vulgaire, Rose !

GERMAINE LAUZON — Pis, toujours, le salon mortuaire ?

(Noir. Projecteur sur Angéline Sauvé et Rhéauna Bibeau.)

RHEAUNA BIBEAU — Moé, c'est ben simple, ça m'a donné un coup . . .

ANGELINE SAUVE — Tu le connaissais pas tellement, pourtant !

RHEAUNA BIBEAU — J'ai ben connu sa mère ! Toé aussi, tu t'en rappelles, on allait à l'école ensemble ! J'l'ai vu grandir, c't'homme-là . . .

ANGELINE SAUVE — Et ! oui. Pis tu vois, y'est parti. Pis nous autres, on est encore là . . .

RHEAUNA BIBEAU — Ah ! mais ça s'ra pas long, par exemple . . .

ANGELINE SAUVE — Voyonc, donc, Rhéauna . . .

RHEAUNA BIBEAU — J'sais c'que j'dis ! Ça se sent quand la fin vient ! Après tout c'que j'ai enduré !

ANGELINE SAUVE — Ah ! pour ça, on pourra dire qu'on a souffert, toutes les deux . . .

RHEAUNA BIBEAU — J'ai souffert ben plus que toé, Angéline ! Dix-sept s'opérations ! J'ai pus rien qu'un poumon, un rein, un sein . . . Ah ! j'en ai-tu arraché, rien qu'un peu . . .

ANGELINE SAUVE — Moé, j'ai mon arthrite qui me lâche pas ! Mais madame . . . comment c'est qu'à s'appelle, donc . . . entéka. La femme du mort, a m'a donné une recette . . . y paraît que c'est merveilleux !

RHEAUNA BIBEAU — Tu sais ben que t'as toute essayé ! Les docteurs t'ont dit qu'y'avait rien pour ça ! Ça se guérit pas, l'arthrite !

ANGELINE SAUVE — Les docteurs, les docteurs, j'te dis que j'les ai loin, astheur ! Ça pense rien qu'à la piasse, les docteurs ! Ça égorge le pauvre monde, pis ça va passer l'hiver en Califournie ! T'sais, Rhéauna, le docteur, y y'avait dit qu'y guérirait, à monsieur . . . c'est quoi, donc, son nom, au mort ?

RHEAUNA BIBEAU — Monsieur Baril . . .

ANGELINE SAUVE — Ah ! oui, j'm'en rappelle jamais ! C'est pourtant pas compliqué ! Bon, ben son docteur y'avait dit qu'y'avait pas besoin d'avoir peur, à monsieur Baril . . . Pis tu vois . . . a peine quarante ans . . .

RHEAUNA BIBEAU — Quarante ans ! C'est jeune, pour mourir !

ANGELINE SAUVE — Y'est parti ben vite . . .

RHEAUNA BIBEAU — A m'a toute conté comment ça s'était passé. C'est assez triste !

ANGELINE SAUVE — Oui ? J'étais pas là quand a t'a conté ça . . . Comment c'est arrivé, donc ?

RHEAUNA BIBEAU — Quand y'est rentré de travailler, lundi soir, a l'a trouvé ben changé. A y'a demandé si y se sentait pas ben, y'était blanc comme un linge. Y'a dit que non. Y'ont commencé à souper . . . Les enfants se disputaient à table, ça fait que monsieur Baril s'est fâché pis y'a été obligé de punir sa Rolande . . . Y'était pas mal caduc après, tu comprends . . . Elle, a le regardait sans arrêter. A l'observait. A m'a dit que ça s'était passé tellement vite qu'a l'a pas eu le temps de rien faire. Y'a dit tout d'un coup qu'y se sentait drôle, pis y'est tombé le nez dans sa soupe. C'tait fini !

ANGELINE SAUVE — Doux Jésus ! C'est donc effrayant ! Si vite que ça ! Moé, c'est ben simple, ça me donne la chair de poule ! C'est donc effrayant !

RHEAUNA BIBEAU — Tu peux le dire ! On le sait jamais quand est-ce que c'est que le bon Dieu va venir nous chercher ! Y l'a dit lui-même : « Je viendrai comme un voleur. »

ANGELINE SAUVE — Ça me fait assez peur, ces histoires-là ! Moé, j'voudrais pas mourir de même ! J'veux mourir dans mon lit . . . avoir le temps de me confesser . . .

RHEAUNA BIBEAU — Pour ça, non, j'voudrais pas mourir sans me confesser ! Angéline, promets-moé que tu vas faire v'nir le prêtre quand j'vas me sentir mal ! Promets-moé-lé !

ANGELINE SAUVE — Ben oui, ben oui, ça fait cent fois que tu me le demandes ! J'l'ai fait v'nir, le prêtre, la dernière fois que t'as eu une attaque ! T'as communié pis toute !

RHEAUNA BIBEAU — J'ai tellement peur de mourir sans recevoir les derniers sacrements !

ANGELINE SAUVE — Pour les péchés que tu peux faire !

RHEAUNA BIBEAU — Dis pas ça, Angéline, dis pas ça ! Y'a pas d'âge pour faire des péchés !

ANGELINE SAUVE — Moé, chus ben sûre que tu vas aller au paradis tout dret, Rhéauna. T'as pas besoin d'avoir peur ! Hon ! As-tu vu la fille du mort si a l'était changée ? Une vraie morte !

RHEAUNA BIBEAU — J'comprends ! Pauvre Rolande ! A dit à tout le monde que c'est elle qui a tué son père ! Tu comprends, c'est à cause d'elle si y s'est fâché, à table . . . A fait donc pitié . . . Pis sa mère, asteur ! Ah ! c'est un ben grand malheur ! Ça va faire un grand trou ! C't'un gros morceau qu'y perdent là !

ANGELINE SAUVE — J'comprends ! Le père ! R'marque que c'est moins pire que la mère, mais ça fait rien . . .

RHEAUNA BIBEAU — Oui, c'est vrai, une mère, c'est pire ! Une mère, ça se remplace pas !

ANGELINE SAUVE — As-tu vu si y l'ont ben arrangé, le mort, hein ? Y'avait l'air d'un vrai jeune homme ! Y souriait . . . On aurait dit qu'y dormait. Mais au fond, y'est ben mieux ousqu'y'est là . . . M'as dire comme on dit, c'est les ceuses qui restent qui sont les plus à plaindre ! Lui, y'est ben, asteur . . . Ah ! mais j'en r'viens pas si y'était ben grimé ! Y'avait l'air vivant.

RHEAUNA BIBEAU — Eh oui ! Mais y l'était pas.

ANGELINE SAUVE — Mais j'sais pas pourquoi y y'avaient mis c't'habit-là, par exemple . . .

RHEAUNA BIBEAU — Comment ça ?

ANGELINE SAUVE — T'as pas remarqué ? Y'avait une habit bleue ! Ça se fait pas ! Un mort, c't'un mort ! Une habit bleue, c'est ben que trop pâle ! Si au moins a l'avait été bleu-marin, mais non, c't'ait quasiment bleu-pourde ! Un mort, ça doit porter une habit noire !

RHEAUNA BIBEAU — Y'en avait peut-être pas ! C'est pas du monde ben riche !

ANGELINE SAUVE — Mon Dieu-Seigneur, une habit noire, ça se loue ! C'est comme la sœur de madame Baril ! Une robe verte ! En plein salon mortuaire ! Pis a l'a-tu vieilli, rien qu'un peu ! A'vait l'air ben plus vieille que sa sœur . . .

RHEAUNA BIBEAU — A l'est, aussi.

ANGELINE SAUVE — Voyons donc, Rhéauna, est ben plus jeune !

RHEAUNA BIBEAU — Ben non !

ANGELINE SAUVE — Ben oui, Rhéauna, écoute ! Madame Baril a dans les trente-sept trente-huit ans, pis elle . . .

RHEAUNA BIBEAU — A l'a plus de quarante ans !

ANGELINE SAUVE — Voyons donc, Rhéauna !

RHEAUNA BIBEAU — Moé, j'y donnerais ben quarante-cinq ans . . .

ANGELINE SAUVE — C'est ça que j'te dis, a l'a vieilli, a l'a l'air plus vieille que son âge . . . Ecoute, ma belle-sœur Rose-Aimée a trente-six ans pis y'ont été à l'école ensemble . . .

RHEAUNA BIBEAU — Entéka, ça me surprend pas qu'a vieillisse si vite . . . Avec la vie qu'a mène . . .

ANGELINE SAUVE — J'sais pas si c'est ben vrai, toutes ces histoires-là . . .

RHEAUNA BIBEAU — Ça doit ! Mme Baril, elle, a l'essaye de cacher ça, c'est sa sœur . . . mais tout finit par se savoir ! C'est comme madame Lauzon, avec sa sœur Pierrette ! Si y'a quelqu'un que j'peux pas sentir, c'est ben Pierrette Guérin ! Une vraie dévergondée ! Une vraie honte pour sa famille ! J'te dis, Angéline, que j'voudrais pas voir son âme, elle ! A doit être noire, rare !

ANGELINE SAUVE — Voyons, Rhéauna, au fond, Pierrette, c'est pas une mauvaise fille !

(Un projecteur s'allume sur Germaine Lauzon.)

GERMAINE LAUZON — Ma sœur Pierrette, ça fait longtemps que j'l'ai reniée ! Après toute c'qu'a nous a faite ! Est'tait si fine, quand est'tait p'tite ! Pis belle ! Quand on dit une vraie catin ! Ah ! on l'a ben aimée, moé, pis mes sœurs ! On la gâtait sans bon sens ! Mais pour que c'est faire . . . J'comprends pas ! J'comprends pas ! Le pére, à'maison, l'appelait sa p'tite pourrite ! Y l'amait donc, sa Pierrette ! Quand y'a prenait sur ses genoux, là on sentait qu'y'était heureux ! Nous autres, on n'était pas jalouses . . .

ROSE OUIMET — On se disait : « C'est la plus jeune. C'est toujours comme ça, c'est les plus jeunes qui sont les préférés . . . » Quand a l'a commencé à aller à l'école, on l'a habillée comme une princesse ! J'étais déjà mariée, moé, j'm'en rappelle comme si c'était hier ! Eh ! qu'a l'était donc belle ! Une vraie Shirley Temple ! Pis a l'apprenait donc vite, à l'école ! Ben plus vite que moé ! moé, j'ai jamais été ben bonne à l'école. . . J'étais la grosse comique d'la classe, c'était toute c'que j'pouvais faire, de toute façon . . . Mais elle, la p'tite bougraisse, a vous-en a-tu décroché, des prix ! Prix de français, prix d'arithmétique, prix de religion . . . Oui, de religion ! C'était pieux comme une bonne sœur, c't'enfant-là. C'est ben simple, les sœurs étaient folles d'elle ! Quand on la voit, aujourd'hui . . . Mon Dieu, au fond, j'ai un peu pitié d'elle. A doit avoir de besoin d'aide, des fois . . . Pis a doit être ben tu-seule !

GABRIELLE JODOIN — Quand a l'a fini ses études primaires, on y'a demandé c'qu'a voulait faire. A voulait faire une maîtresse d'école. Est-tait pour commencer ses études ... Mais y fallait qu'a rencontre son Johnny !

LES TROIS SOEURS — Le maudit Johnny ! Un vrai démon sorti de l'enfer ! C'est de sa faute si est devenue comme a l'est astheur ! Maudit Johnny ! Maudit Johnny !

RHEAUNA BIBEAU — Comment, pas une mauvaise fille ! Pour faire c'qu'a fait, y faut être rendue ben bas ! Hon ! Tu sais pas c'que madame Longpré m'a conté à son sujet ?

ANGELINE SAUVE — Non, quoi, donc ?

THERESE DUBUC — Ayoye !

(Les lumières s'allument. Thérèse Dubuc donne un coup de poing sur la tête de sa belle-mère.)

GERMAINE LAUZON — Assommez-la pour de bon, faites quequ'chose, Thérèse !

THERESE DUBUC — Assommez-la, assommez-la, j'fais comme j'peux pour la tranquiliser ! Chus quand même pas pour la tuer pour vous faire plaisir !

ROSE OUIMET — Moé, j'la maudirais en bas de la galerie ...

THERESE DUBUC — Pardon ? Répétez donc c'que vous v'nez de dire, Rose, j'ai pas compris !

ROSE OUIMET — J'parlais tu-seule !

THERESE DUBUC — Vous avez peur, hein ?

ROSE OUIMET — Moé, peur ?

THERESE DUBUC — Oui, vous avez peur !

MARIE-ANGE BROUILLETTE — Dites-moé pas qu'la chicane va r'poigner !

69

ANGELINE SAUVE — Y'a-tu eu une chicane ?

RHEAUNA BIBEAU — Qui c'est qui s'est chicané, donc ?

ANGELINE SAUVE — On aurait dû arriver avant !

THERESE DUBUC — Chus pas pour la laisser faire ! A vient d'insulter ma belle-mère ! La mère de mon mari !

LISETTE DE COURVAL — Les revoilà qui recommencent !

ROSE OUIMET — Est assez vieille ! Est pus bonne à rien !

GERMAINE LAUZON — Rose !

GABRIELLE JODOIN — Rose ! t'as pas honte de parler de même ! Que t'as donc le cœur dur !

THERESE DUBUC — J'oublierai jamais c'que vous v'nez de dire là, Rose Ouimet ! Je l'oublierai jamais !

ROSE OUIMET — Ah ! pis sacrez-moé donc patience !

ANGELINE SAUVE — Qui c'est qui s'est chicané, avant, donc ?

ROSE OUIMET — Vous voudriez tout savoir, hein, mademoiselle Sauvé, vous voudriez qu'on vous explique toute en détails ?

ANGELINE SAUVE — Mon Dieu, madame Ouimet . . .

ROSE OUIMET — Ensuite, vous pourriez aller tout colporter un peu partout, hein, c'est ça ?

RHEAUNA BIBEAU — Rose Ouimet ! J'me fâche pas souvent, mais j'vous permettrai pas d'insulter mon amie !

MARIE-ANGE BROUILLETTE, *en aparté* — J'vas toujours ben m'en prendre quequ'paquets pendant qu'y me voient pas !

GABRIELLE JODOIN, *qui l'a vue faire* — Que c'est que vous faites là, Mme Brouillette ?

ROSE OUIMET — Oui, j'pense que chus mieux de m'la farmer !

MARIE-ANGE BROUILLETTE — Chut ! Taisez-vous, prenez ça ! *(Arrivent Linda, Ginette et Lise avec des chaises. Grand branle-bas. Toutes les femmes changent de place. On en profite pour voler quelques livrets et quelques paquets de timbres.)* Prenez-en, ayez pas peur !

DES-NEIGES VERRETTE — Faudrait quand même pas exagérer.

THERESE DUBUC — Cachez ça dans vot'poche, Mme Dubuc... Non ! J'ai dis d'les cacher !

GERMAINE LAUZON — Le gars qui me vend ma viande, à shop, c't'un vrai voleur !

(La porte s'ouvre brusquement. Pierrette Guérin entre.)

PIERRETTE GUERIN — Salut tout le monde !

LES AUTRES — Pierrette !

LINDA LAUZON — Ma tante Pierrette, c'est le fun !

ANGELINE SAUVE — Mon Dieu, Pierrette !

GERMAINE LAUZON — Que c'est que tu fais icitte, toé ? J't'ai déjà dit que j'voulais pus te voir !

PIERRETTE GUERIN — J'ai appris que ma grande sœur Germaine avait gagné un million de timbres, ça fait que j'ai décidé de v'nir voir ça ! *(Elle aperçoit Angéline Sauvé.)* Ah'ben câlisse ! Angéline ! Que c'est que tu fais icitte, toé !

(Tout le monde regarde Angéline Sauvé.)

Rideau

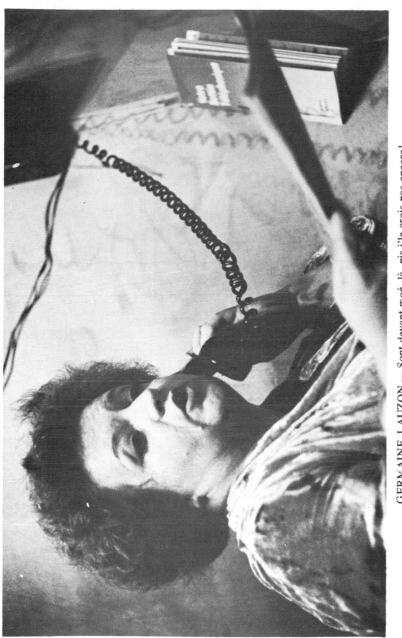

GERMAINE LAUZON — Sont devant moé, là, pis j'le crois pas encore!

(première version, 1968)

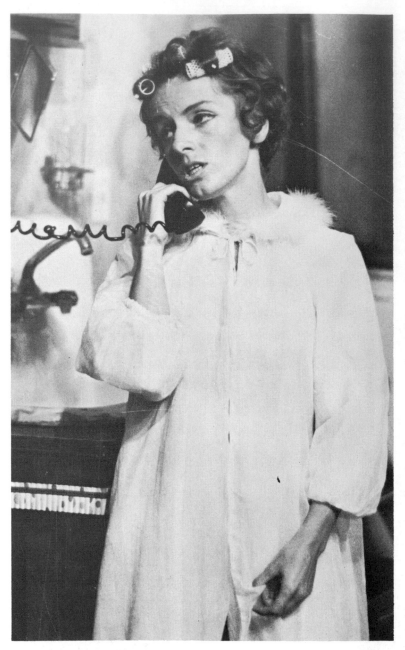

LINDA LAUZON — Bon, vous y direz que c'est Linda qui a appelé...
(première version, 1968)

GERMAINE LAUZON — Oui, y m'ont donné un catalogue, avec.

(deuxième version, 1971)

MARIE-ANGE BROUILLETTE — Moé, j'mange d'la marde, pis j'vas en manger toute ma vie!

(deuxième version, 1971)

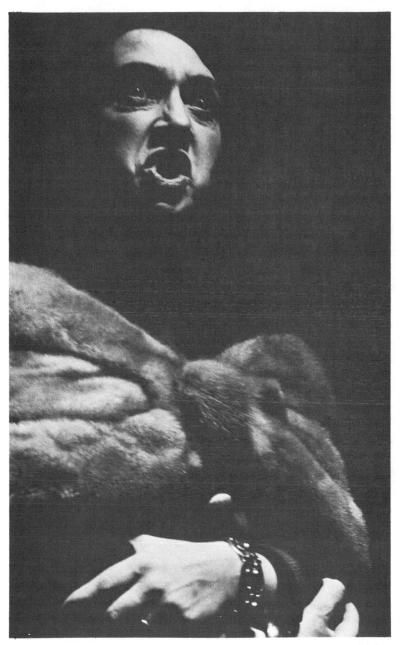

LISETTE DE COURVAL — Mon Dieu, que j'ai donc honte d'eux autres!

(deuxième version, 1971)

PIERRETTE GUERIN — Y m'a faite pardre dix ans de ma vie, le crisse!

(deuxième version, 1971)

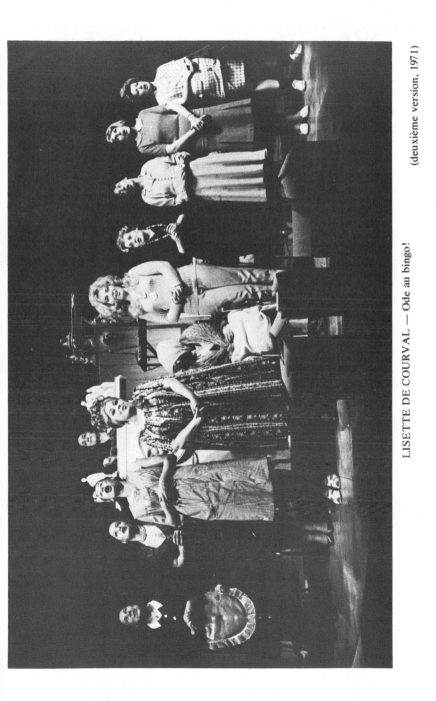

LISETTE DE COURVAL — Ode au bingo!

(deuxième version, 1971)

ROSE OUIMET — Maudit cul!

(deuxième version, 1971)

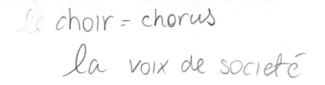

le choir = chorus

la voix de societé

DEUXIÈME ACTE

Jalousie

(Le deuxième acte commence à l'entrée de Pierrette. On refait donc les six dernières répliques du premier acte avant d'enchaîner.)

(La porte s'ouvre brusquement. Pierrette Guérin entre.)

PIERRETTE GUERIN — Salut tout le monde !

LES AUTRES — Pierrette !

LINDA LAUZON — Ma tante Pierrette, c'est le fun !

ANGELINE SAUVE — Mon Dieu, Pierrette !

GERMAINE LAUZON — Que c'est que tu fais icitte, toé ? J't'ai déjà dit que j'voulais pus te voir !

PIERRETTE GUERIN — J'ai appris que ma grande sœur Germaine avait gagné un million de timbres, ça fait que j'ai décidé de v'nir voir ça ! *(Elle aperçoit Angéline Sauvé.)* Ah ! ben câlisse ! Angéline ! Que c'est que tu fais icitte, toé ?

(Tout le monde regarde Angéline Sauvé.)

ANGELINE SAUVE — Mon Dieu ! Ça y'est, chus poignée !

GERMAINE LAUZON — Comment ça, Angéline ?

GABRIELLE JODOIN — Comment c'est que tu parles à mademoiselle Sauvé, donc, toé ?

ROSE OUIMET — T'as pas honte !

PIERRETTE GUERIN — Ben quoi, on se connaît ben, nous deux, hein, 'Géline ?

75

ANGELINE SAUVE — Ah ! J'pense que j'vas tomber sans connaissance !

(Angéline fait semblant de perdre connaissance.)

RHEAUNA BIBEAU — Doux Jésus ! Angéline !

ROSE OUIMET — Est morte !

RHEAUNA BIBAU — Quoi ?

GABRIELLE JODOIN — Ben non, ben non, est pas morte ! T'exagères encore, Rose !

PIERRETTE GUERIN — Est même pas sans connaissance ! Vous voyez ben qu'a fait semblant !

(Pierrette s'approche d'Angéline.)

GERMAINE LAUZON — Touches-y pas, toé !

PIERRETTE GUERIN — Laisse-moé donc tranquille, c'est mon amie !

RHEAUNA BIBEAU — Comment ça, vot'amie !

GERMAINE LAUZON — T'as toujours ben pas envie de nous faire accroire que mademoiselle Sauvé est ton amie !

PIERRETTE GUERIN — Ben tiens ! A vient nous voir au club quasiment tous les vendredis soir !

TOUTES LES FEMMES — Quoi !

RHEAUNA BIBEAU — Ça se peut pas, voyons !

PIERRETTE GUERIN — Demandez-y ! Hein, Géline, c'est vrai c'que j'dis là ? Voyons, arrête de faire la folle, pis réponds ! Angéline, on sait que t'es pas dans les pommes ! Dis-leu' donc que c'est vrai que tu viens souvent au club !

ANGELINE SAUVE, *après un silence* — Oui, c'est vrai !

RHEAUNA BIBEAU — Hon ! Angéline ! Angéline !

QUELQUES FEMMES — C'est ben effrayant !

QUELQUES AUTRES — C'est ben épouvantable !

LINDA, GINETTE, LISE — C'est le fun !
(Noir.)
RHEAUNA BIBEAU — Angéline ! Angéline !
(Projecteur sur Angéline et Rhéauna.)
ANGELINE SAUVE — Rhéauna, y faut me comprendre . . .
RHEAUNA BIBEAU — Touche-moé pas ! Recule !
LES FEMMES — Si j'arais pensé une chose pareille !
RHEAUNA BIBEAU — J'arais jamais pensé ça de toé,
   Angéline ! Dans un club ! Pis à tous les vendredis
   soir ! C'est pas possible ! Ça se peut pas !
ANGELINE SAUVE — J'fais rien de mal, Rhéauna !
   J'prends rien qu'un coke !
LES FEMMES — Dans un club !
GERMAINE LAUZON — Dieu sait c'qu'à fait là !
ROSE OUIMET — C'est peut-être une courailleuse !
ANGELINE SAUVE — Mais puisque que je vous dis
   que je fais rien de mal !
PIERRETTE GUERIN — C'est vrai qu'a fait rien de
   mal !
ROSE, GERMAINE, GABRIELLE — Toé, tais-toé, dé-
   monne !
RHEAUNA BIBEAU — T'es pus mon amie, Angéline.
   J'te connais pus !
ANGELINE SAUVE — Ecoute-moé, Rhéauna, y faut
   que tu m'écoutes ! J'vas toute t'expliquer, pis tu vas
   comprendre !
ROSE, GERMAINE, GABRIELLE — Le club ! Un
   vrai endroit de perdition !
TOUTES LES FEMMES, *sauf les jeunes* — Ah ! endroit
   maudit, endroit maudit ! C'est là qu'on perd son
   âme. Maudite boisson, maudite danse ! C'est là que

nos maris perdent la tête pis dépensent toute leurs
payes avec des femmes damnées !

GERMAINE, ROSE, GABRIELLE — Des femmes damnées comme toé, Pierrette !

TOUTES LES FEMMES, *sauf les quatre jeunes* — Vous
avez pas honte, Angéline Sauvé, de fréquenter un
endroit pareil ?

RHEAUNA BIBEAU — Angéline ! le club, mais c'est
l'enfer !

PIERRETTE GUERIN, *en riant très fort* — Si l'enfer
ressemble au club ousque j'travaille, ça m'fait rien
pantoute d'aller passer mon éternité là, moé !

GERMAINE, ROSE, GABRIELLE — Farme-toé, Pierrette, c'est le diable qui parle par ta bouche !

LINDA, GINETTE, LISE — Le diable ? voyons donc !
Ecoutez, faut être de son temps ! Les clubs, c'est pas
la fin du monde ! C'est pas pire qu'ailleurs. Pis c'est
ben l'fun ! C'est ben l'fun, les clubs !

LES AUTRES FEMMES — Ah ! Jeunesses aveugles !
Jeunesses aveugles ! Vous allez vous pardre, pauvres
jeunesses, vous allez vous pardre, pis vous allez v'nir
brailler dans nos bras, après ! Mais y s'ra trop tard !
Y s'ra trop tard ! Attention ! Faites attention à ces
endroits maudits ! On s'en aperçoit pas toujours
quand on tombe, pis quand on se r'lève, y est trop
tard !

LISE PAQUETTE — Trop tard ! Y'est trop tard ! Mon
Dieu, y'est trop tard !

GERMAINE LAUZON — J'espère au moins que vous
allez vous en confesser, Angéline Sauvé !

ROSE OUIMET — J'vous vois aller communier tous les

dimanches matin . . . Communier avec un pareil péché sur la conscience !

GABRIELLE JODOIN — Un péché mortel !

GERMAINE, ROSE, GABRIELLE — On nous l'a assez répété : « Mettre le pied dans un club, c'est déjà faire un péché mortel »

ANGELINE SAUVE — Assez ! Farmez-vous pis écoutez-moé !

LES FEMMES — Jamais ! Vous avez pas d'excuses !

ANGELINE SAUVE — Rhéauna, écoute-moé, toé ! On est des vieilles amies, on reste ensemble depuis 35 ans ! J't'aime ben mais un moment donné j'ai l'goût d'voir d'autre monde ! Tu sais comment j'sus faite ! J'aime ça avoir du fun ! J'ai été élevée dans les sous-bassements d'églises, pis j'veux connaître d'autre chose ! On peut aller dans les clubs sans faire de mal ! Ça fait quatre ans que j'fais ça, pis j'ai jamais rien faite de pas correct ! Le monde qui travaillent là, sont pas pires que nous autres ! J'ai envie d'connaître du monde ! J'ai jamais ri de ma vie, Rhéauna !

RHEAUNA BIBEAU — Y a d'autres places que les clubs pour rire ! T'es t'après te pardre, Angéline ! Dis-moé qu'tu y retourneras pus !

ANGELINE SAUVE — 'Coute Rhéauna, j'peux pas ! J'aime ça aller là, comprends-tu, j'aime ça !

RHEAUNA BIBEAU — Y faut qu'tu m'promettes, sans ça, j'te parle pus jamais ! Choisis ! C'est l'club, ou c'est moé ! Si tu savais la peine que tu me fais ! Une amie d'toujours ! Une coureuse de clubs ! Mais que c'est qu'tu dois avoir l'air, Angéline ! Pour que c'est que l'monde doivent te prendre en t'voyant rentrer là ? Pis surtout où Pierrette travaille ! Y a pas plus

79

trou ! Y faut pus qu'tu r'tournes là jamais, Angéline !
M'entends-tu ? Sinon c'est fini entre nous deux ! Tu
devrais avoir honte !

ANGELINE SAUVE — Y faut pas m'demander de pus
y r'tourner, Rhéauna ! Mais réponds-moé donc !

RHEAUNA BIBEAU — J'te parle pus tant qu'tu promet-
tras pas !

*(L'éclairage redevient normal. Angéline s'assoit dans
un coin, Pierrette Guérin vient la rejoindre.)*

ANGELINE SAUVE — Que c'est que t'avais d'affaire à
v'nir icitte, toé, à soir ?

PIERRETTE GUERIN — Laisse-les donc parler. Y'ai-
ment ça s'faire des drames à noirceur. Y savent ben
dans l'fond qu'tu fais rien de mal au club. Dans cinq
menutes, y y penseront plus !

ANGELINE SAUVE — Tu penses ça, toé ? Pis Rhéauna, elle, que c'est qu't'en fais ? Tu penses qu'à va
m'pardonner ça d'même ? Pis madame de Courval
qui s'occupe des loisirs de la paroisse, pis qui est
présidente de la Supplique à Notre-Dame du Perpétuel
Secours ! Tu penses qu'à va continuer à me parler ?
Pis tes sœurs qui peuvent pas te sentir justement parce
que tu travailles dans un club ! J'te dis qu'y'a pus
rien à faire ! Rien ! Rien !

GERMAINE LAUZON — Pierrette !

PIERRETTE GUERIN — Ecoute, Germaine, Angéline
a ben d'la peine, ça fait que c'est pas le temps de nous
chicaner ! Chus v'nue pour vous voir pis pour coller
des timbres, pis j'veux rester ! J'ai pas la lèpre !
Laisse-nous tranquilles, toutes les deux, on va rester
dans not'coin ! Après la soirée, si tu veux, j'reviendrai

pus jamais ... Mais j'peux pas laisser Angéline tu-
seule !

ANGELINE SAUVE — Tu peux t'en aller, si tu veux,
Pierrette ...

PIERRETTE GUERIN — Non, j'veux rester !

ANGELINE SAUVE — Bon, ben c'est moé qui va
partir, d'abord !

LISETTE DE COURVAL — Si elles pourraient s'en aller
toutes les deux !

(Angéline se lève.)

ANGELINE SAUVE, *à Rhéauna* — T'en viens-tu ?
(Rhéauna Bibeau ne répond pas.) Bon, c'est correct.
J'vas laisser la porte débarrée ... *(Elle se dirige vers
la porte. Noir. Projecteur sur Angéline Sauvé.)* C'est
facile de juger le monde. C'est facile de juger le monde mais y faut connaître les deux côtés d'la médaille !
Le monde que j'ai rencontré dans c'te club-là, c'est
mes meilleurs amis ! Y'a jamais personne qui a été
fin comme ça avec moé, avant ! Même pas Rhéauna !
Avec eux-autres, j'ai du fun ; avec eux-autres, j'ris !
J'ai été élevée dans des salles paroissiales par des
sœurs qui faisaient c'qu'y pouvaient mais qui connaissaient rien, les pauvres ! J'ai appris à rire à cinquante-cinq ans ! Comprenez-vous ? J'ai appris à
rire à cinquante-cinq ans ! Pis par hasard ! Parce que
Pierrette m'a emmenée dans son club, un soir ! J'voulais pas y aller ! A l'a été obligée de me tirer par la
queue de manteau ! Mais sitôt que j'ai été rendue là,
par exemple, j'ai compris c'que c'était que d'avoir
passé toute une vie sans avoir de fun ! Tout le monde
peut pas avoir du fun dans les clubs, mais moé j'aime
ça ! C'est ben sûr que c'est pas vrai que j'prends juste

81

un coke quand j'vas là ! C'est ben sûr que j'prends d'la boésson ! J'en prends pas gros mais ça me rend heureuse pareil ! J'fais de mal à parsonne, j'me paye deux heures de plaisir par semaine ! Mais y fallait que ça m'arrive un jour ! J'le savais que j'finirais par me faire poigner ! J'le savais ! Que c'est que j'vas faire, mon Dieu, que c'est que j'vas faire ! *(Un temps.)* Bonyeu ! On devrait pourtant avoir le droit d'avoir un peu de fun, dans'vie ! *(Un temps.)* J'me sus toujours dit que si j'me faisais prendre, j'arrêterais d'aller au club ... mais j'sais pas si j'vas être capable ! Pis Rhéauna acceptera jamais ça ! *(Un temps.)* Après toute, Rhéauna vaut mieux que Pierrette. *(Long soupir.)* Fini les vacances !

(Elle sort. Projecteur sur Yvette Longpré.)

YVETTE LONGPRE — C'était la fête de ma belle-sœur Fleur-Ange, la semaine passée. Y y'ont faite un beau party. On était une grosse gang. D'abord, y'avait sa famille à elle, hein ! Son mari, Oscar David, elle, Fleur-Ange David, pis leurs sept s'enfants : Raymonde, Claude, Lisette, Fernand, Réal, Micheline, pis Yves. Y'avait les parents de son mari : Aurèle David, pis sa dame Ozéa David. Y'avait ensuite la mère de ma belle-sœur, Blanche Tremblay. Son père était pas là, y'est mort ... Ensuite, y'avait les autres invités : Antonio Fournier, pis sa femme Rita ; Germaine Gervais était là, Wilfrid Gervais, Armand Gervais, Georges-Albert Gervais, Louis Thibault, Rose Campeau, Daniel Lemoyne, pis sa femme Rose-Aimée, Roger Joly, Hormidas Guay, Simonne Laflamme, Napoléon Gauvin, Anne-Marie Turgeon, Conrad Joannette, Léa Liasse, Jeannette Landreville, Nina Laplante, Robertine Portelance, Gilberte Morrissette, Laura Cadieux, Rodolphe Quintal, Willie Sanregret, Lilianne Beaupré, Virginie Latour, Alexandre Thibodeau, Ovila Gariépy, Roméo Bacon, pis sa femme Juliette ; Mimi Bleau, Pit Cadieux, Ludger Champagne, Rosaire Rouleau, Roger Chabot, Antonio Simard, Alexandrine Smith, Philémon Langlois, Eliane Meunier, Marcel Morel, Grégoire Cinq-Mars, Thodore Fortier, Hermine Héroux, pis nous autres, mon mari Euclide, pis moé. Bon, ben, c't'a peu près toute, j'pense . . .

(Les lumières s'allument.)

GERMAINE LAUZON — Bon, ben, on va continuer, là, hein ?

ROSE OUIMET — Allons-y gaiement !

DES-NEIGES VERRETTE — On n'a pas mal de faite, hein ? R'gardez, j'ai déjà toute ça de collé . . .

MARIE-ANGE BROUILLETTE — A part de c'que vous avez volé . . .

LISETTE DE COURVAL — Passez-moé dons des timbres, madame Lauzon.

GERMAINE LAUZON — Ah ! oui . . . certain . . . T'nez, en v'là en masse !

RHEAUNA BIBEAU — Angéline ! Angéline ! C'est pas possible !

LINDA LAUZON, *à Pierrette* — Allô, ma tante !

PIERRETTE GUERIN — Salut, comment ça va ?

LINDA LAUZON — Ah ! ça va pas ben ben . . . J'me chicane toujours avec ma mère, pis chus ben tannée ! On est toujours après s'astiner pour rien. Eh ! si j'pouvais donc m'en aller !

GERMAINE LAUZON — Les retraites vont commencer ben vite, hein ?

ROSE OUIMET — Ben oui ! Y'ont dit ça, à messe, dimanche passé.

MARIE-ANGE BROUILLETTE — J'espère que ça s'ra pas le même prêtre que l'année passée, qui va v'nir . . .

GERMAINE LAUZON — Moé aussi ! J'l'ai pas aimé, lui ! Y'était ennuyant à mort !

PIERRETTE GUERIN — Entéka, y'a rien qui t'empêche de partir ! Tu pourrais v'nir rester avec moé . . .

LINDA LAUZON — Vous y pensez pas ! Des plans pour qu'y veulent pus jamais me voir !

LISETTE DE COURVAL — Non, ce n'est pas le même qui va venir, cette année . . .

DES-NEIGES VERRETTE — Non ? Qui c'est, d'abord ?

LISETTE DE COURVAL — Un dénommé monsieur l'abbé Rochon. Il paraît qu'il est formidable ! L'abbé Gagné m'a justement dit l'autre jour que c'était un de ses meilleurs amis . . .

ROSE OUIMET, *à Gabrielle* — La v'là qui r'commence avec son abbé Gagné ! On n'a pour toute la nuit, certain ! On dirait quasiment qu'est en amour avec ! Monsieur l'abbé Gagné par icitte, monsieur l'abbé Gagné par là . . . Ben moé l'abbé Gagné, là, j'l'aime pas ben ben . . .

GABRIELLE JODOIN — Ni moé non plus ! Y'est un peu trop à'mode. C'est ben beau de s'occuper des loisirs d'la paroisse, mais faut quand même pas oublier qu'on est prêtre ! Homme de Dieu !

LISETTE DE COURVAL — Ah ! oui, c'est un saint homme . . . Vous devriez le connaître, madame Dubuc, vous l'aimeriez ben gros . . . Quand il perle, là, c'est comme si ça serait le bon Dieu lui-même qui nous perlerait !

THERESE DUBUC — Faudrait pas exagérer...

LISETTE DE COURVAL — J'vous le dis ! Les enfants l'adorent... Hon ! Ça me fait penser... Les enfants d'la paroisse organisent une soirée récréative pour dans un mois. J'espère que vous allez toutes venir, ce sera une soirée formidable ! Ça fait déjà pas mal longtemps qu'ils se pratiquent, aux loisirs...

DES-NEIGES VERRETTE — Que c'est qui va y avoir, au juste ?

LISETTE DE COURVAL — Ah ! ça va être bien bon. Y va y avoir toutes sortes de numéros. Le petit garçon de madame Gladu va chanter...

ROSE OUIMET — Encore ? Y me tanne, lui. Chus ben tannée de l'entendre ! A part de ça, depuis qu'y a passé à'télévision, là, sa mère porte pus à terre ! A se prend pour une vraie vedette !

LISETTE DE COURVAL — Mais il chante si bien, le petit Raymond !

ROSE OUIMET — Ouais... Moé, j'trouve qu'y'a un peu trop l'air d'une fille avec sa p'tite bouche en trou de cul de poule...

GABRIELLE JODOIN — Rose !

LISETTE DE COURVAL — Diane Aubin va donner une démonstration de nage aquatique... On va faire la fête à côté de la piscine municipale, ça va être de toute beauté...

ROSE OUIMET — Pis, y va-tu y avoir des prix de présence ?

LISETTE DE COURVAL — Bien oui, hein, vous pensez bien ! Et puis la soirée va se terminer par un grand bingo !

LES AUTRES FEMMES, *moins les quatre jeunes* — Un bingo !

OLIVINE DUBUC — Bingo !

(Noir. Quand les lumières reviennent, les neuf femmes sont debout au bord de la scène.)

LISETTE DE COURVAL — Ode au bingo !

OLIVINE DUBUC — Bingo !

(Pendant que Rose, Germaine, Gabrielle, Thérèse et Marie-Ange récitent « l'ode au bingo », les quatres autres femmes crient des numéros de bingo en contre-point, d'une façon très rythmée).

GERMAINE, ROSE, GABRIELLE, THERESE ET MARIE-ANGE — Moé, l'aime ça le bingo ! Moé, j'adore le bingo ! Moé, y'a rien au monde que j'aime plus que le bingo ! Presque toutes les mois, on en prépare un dans' paroisse ! J'me prépare deux jours d'avance, chus t'énarvée, chus pas tenable, j'pense rien qu'à ça. Pis quand le grand jour arrive, j't'assez excité que chus pas capable de rien faire dans' maison ! Pis là, là, quand le soir arrive, j'me mets sur mon trente-six, pis y'a pas un ouragan qui m'empêcherait d'aller chez celle qu'on va jouer ! Moé, j'aime ça, le bingo ! Moé, c'est ben simple, j'adore ça, le bingo ! Moé, y'a rien au monde que j'aime plus que le bingo ! Quand on arrive, on se déshabille pis on rentre tu-suite dans l'appartement ousqu'on va jouer. Des fois, c'est le salon que la femme a vidé, des fois, aussi, c'est la cuisine, pis même, des fois, c'est une chambre à coucher. Là, on s'installe aux tables, on distribue les

86

cartes, on met nos pitounes gratis, pis la partie commence ! *(Les femmes qui crient des numéros continuent seules quelques secondes.)* Là, c'est ben simple, j'viens folle ! Mon Dieu, que c'est donc excitant, c't'affaire-là ! Chus toute à l'envers, j'ai chaud, j'comprends les numéros de travers, j'mets mes pitounes à mauvaise place, j'fais répéter celle qui crie les numéros, chus dans toutes mes états! Moé, j'aime ça, le bingo ! Moé, c'est ben simple, j'adore ça, le bingo ! Moé, y'a rien au monde que j'aime plus que le bingo ! La partie achève ! J'ai trois chances ! Deux par en haut, pis une de travers ! C'est le B 14 qui me manque ! C'est le B 14 qui me faut ! C'est le B 14 que je veux ! Le B 14 ! Le B 14 ! Je r'garde les autres . . . Verrat, y'ont autant de chances que moé ! Que c'est que j'vas faire ! Y faut que je gagne ! Y faut que j'gagne ! Y faut que j'gagne !

LISETTE DE COURVAL — B 14 !

LES CINQ FEMMES — Bingo ! bingo ! J'ai gagné ! J'le savais ! J'avais ben que trop de chances ! J'ai gagné ! Que c'est que j'gagne, donc ?

LISETTE DE COURVAL — Le mois passé, c'était le mois des chiens de plâtre pour t'nir les portes, c'mois icitte, c'est le mois des lampes torchères!

LES NEUF FEMMES — Moé, j'aime ça, le bingo ! Moé, c'est ben simple, j'adore ça, le bingo ! Moé, y'a rien au monde que j'aime plus que le bingo ! C'est donc de valeur qu'y'en aye pas plus souvent ! J's'rais tellement plus heureuse ! Vive les chiens de plâtre ! Vive les lampes torchères ! Vive le bingo !
(Eclairage général.)

ROSE OUIMET — Ouan, ben moé, j'commence à avoir soif !

GERMAINE LAUZON — Mon Dieu, c'est vrai, les liqueurs ! Linda, passe donc les cokes !

OLIVINE DUBUC — Coke . . . coke . . . oui . . . oui . . . coke . . .

THERESE DUBUC — T'nez-vous donc tranquille, madame Dubuc, vous allez en avoir comme tout le monde, du coke ! Mais vous avez besoin de boire proprement, par exemple ! Pas de renvoyage comme l'aut'fois, là !

ROSE OUIMET — Moé, a m'énarve avec sa belle-mère, elle, c'est ben simple . . .

GABRIELLE JODOIN — Rose, prends sur toé ! Y'a déjà eu assez de chicane comme c'est là ! Tu veux d'aut'drames ?

GERMAINE LAUZON — Ben oui, reste tranquille, un peu ! Pis colle ! Tu fais rien !
(Projecteur sur le frigidaire. La scène qui suit doit se passer «dans la porte du réfrigérateur ».)

LISE PAQUETTE, *à Linda* — Y faut que j'te parle, Linda . . .

LINDA LAUZON — Oui, j'sais, tu me l'as déjà dit au restaurant . . . Mais c'est pas ben ben l'temps . . .

LISE PAQUETTTE — Ça s'ra pas long. Y faut absolument que j'le dise à quelqu'un. T'es ma meilleure amie, Linda, ça fait que j'veux que tu sois la première à savoir . . . J'peux pus le cacher, j'ai trop de peine . . . Linda, j'vas avoir un p'tit !

LINDA LAUZON — Quoi ! Viens-tu folle ! Est-tu sûre ?

LISE PAQUETTE — Ben oui. C'est le docteur qui me l'a dit !

LINDA LAUZON — Mais que c'est que tu vas faire ?

LISE PAQUETTE — J'le sais ben pas ! Si tu savais comme chus découragée ! J'ai encore rien dit à mes parents, tu comprends. J'ai trop peur de me faire tuer par mon père ! Quand le docteur m'a dit ça, c'est ben simple, j'aurais pu me sacrer en bas du balcon . . .

PIERRETTE GUERIN — Ecoute, Lise . . .

LINDA LAUZON — Vous avez entendu ?

PIERRETTE GUERIN — Oui. T'es ben amanchée là, ma fille. Mais . . . j'pourrais p't'être t'aider . . .

LISE PAQUETTE — Ah ! oui ? Comment ça ?

PIERRETTE GUERIN — Ben, j'connais un docteur . . .

LINDA LAUZON — Vous y pensez pas, ma tante !

PIERRETTE GUERIN — Voyons, y'a pas de danger . . . Y'en fait deux-trois par semaine, c'te docteur-là !

LISE PAQUETTE — Faut dire que j'y avais déjà pensé . . . Mais je connaissais pas personne . . . pis j'avais peur d'essayer tu-seule.

PIERRETTE GUERIN — Fais jamais ça ! Ça, c'est dangereux ! Mais avec mon docteur . . . Si tu veux, j'peux toute arranger. Dans une semaine d'icitte, tout s'rait arrangé !

LINDA LAUZON — Lise, t'as pas envie d'accepter ! Ça s'rait un vrai crime !

LISE PAQUETTE — Que c'est que tu veux que je fasse d'autre ? Y'a pas d'aut'moyen de m'en sortir ! Pis chus quand même pas pour le laisser v'nir, c't'enfant-là ! Tu vois c'que Manon Bélair est devenue ? Elle aussi, c'était une fille-mère. Astheur est pris avec un p'tit sur les bras pis a'n'arrache sans bon sens !

LINDA LAUZON — Le père, y peut pas te marier ?

LISE PAQUETTE — T'sais ben qu'y m'a laissé tomber, hein ? Y'est disparu dans'brume, ça pas été long ! Les belles promesses qu'y m'avait faites ! On était donc pour être heureux, ensemble ! Y faisait d'l'argent comme de l'eau, ça fait que moé, la folle, j'voyais pus clair ! Des cadeaux par icitte, des cadeaux par là, y finissait pus ! Ah ! j'en ai ben profité, un temps. Mais maudit, y fallait que ça arrive ! Y fallait que ça arrive ! Maudite marde ! J'ai jamais de chance, jamais ! Y faut toujours que j'reçoive un siau de marde su'à tête ! Mais j'veux tellement sortir de ma crasse ! Chus t'écœurée de travailler au Kresge ! J'veux arriver à quequ'chose, dans'vie, vous comprenez, j'veux arriver à quequ'chose ! J'veux avoir un char, un beau logement, du beau linge ! J'ai quasiment rien que des uniformes de restaurant à me mettre sur le dos, bonyeu ! J'ai toujours été pauvre, j'ai toujours tiré le diable par la queue, pis j'veux que ça change ! J'sais que chus cheap, mais j'veux m'en sortir ! Chus v'nue au monde par la porte d'en arrière, mais m'as donc sortir par la porte d'en avant ! Pis y'a rien qui va m'en empêcher ! Y'a rien qui va m'arrêter ! Tu sauras me dire plus tard que j'avais raison, Linda ! Attends deux-trois ans, pis tu vas voir que Lise Paquette a va devenir quelqu'un ! Des cennes, a va n'avoir, O.K. ?

LINDA LAUZON — Tu commences mal !

LISE PAQUETTE — C'est justement, j'ai faite une erreur pis j'veux la réparer ! J'vas recommencer en neuf,

90

après ! Vous Pierrette, vous devriez comprendre ça ?

PIERRETTE GUERIN — Oui, j'te comprends. J'sais c'que c'est de vouloir gagner ben d'l'argent. Prends moé, par exemple, à ton âge, chus partie de chez nous pour faire de l'argent. Mais j'ai pas commencé par travailler dans les quinze cennes, par exemple. Ah ! non, chus rentrée au club tu-suite ! Là, y'avait d'l'argent à faire ! Pis ça s'ra pas long que j'vas avoir le gros mâgot, moé aussi ! Johnny me l'a promis . . .

ROSE, GERMAINE, GABRIELLE — Maudit Johnny ! Maudit Johnny !

GINETTE MENARD — Que c'est qui se passe icitte, donc ?

LISE PAQUETTE — Rien, rien. *(A Pierrette.)* On en reparlera . . .

GINETTE MENARD — De quoi, donc ?

LISE PAQUETTE — Ah ! Laisse faire !

GINETTE MENARD — Tu veux rien me dire ?

LISE PAQUETTE — Laisse-moé donc tranquille, toé, colleuse !

PIERRETTE GUERIN — Viens là-bas, on va continuer à jaser . . .

GERMAINE LAUZON — Ça arrive pas, ces liqueurs-là ?

LINDA LAUZON — Me v'là, me v'là . . .
(Les lumières se rallument.)

GABRIELLE JODOIN — Combien tu l'as payé, donc, ton p'tit costume bleu, Rose ?

ROSE OUIMET — Quel, donc ?

GABRIELLE JODOIN — T'sais ben, le p'tit costume bleu avec du braidage blanc autour du collet.

ROSE OUIMET — Ah ! c'ui-là . . . J'l'ai payé $9.98.

GABRIELLE JODOIN — Me semblait ben, aussi ! Imagine-toé donc que j'l'ai vu, chez Reitman's, aujourd'hui, à $14.98 . . .

ROSE OUIMET — Es-tu folle ! J'l'avais ben dit, hein, que j'le payais pas cher . . .

GABRIELLE JODOIN — Mon étronne, toé ! T'es donc bonne pour trouver des bargains !

LISETTE DE COURVAL — Ma fille Micheline a changé d'emploi, dernièrement. Elle travaille maintenant sur les machines F.B.I.

MARIE-ANGE BROUILLETTE — Ah ! oui ? Y paraît que c'est mortel pour les nerfs, ces machines-là ! Les filles qui travaillent là-dessus sont obligées de changer au bout de six mois. La fille de ma belle-sœur Simonne a faite une dépression narveuse, là-dessus. Simonne m'a appelé, justement, aujourd'hui pour me conter ça . . .

ROSE OUIMET — Mon Dieu, ça me fait penser, Linda, t'es demandée au téléphone !
(Linda se précipite sur le téléphone.)

LINDA LAUZON — Allô, Robert ? Ça fait-tu longtemps que t'attends ?

GINETTE MENARD — Dis-moi-lé donc !

LISE PAQUETTE — Non ! Es-tu achalante ! Arrête donc de coller après moé comme une sangsue ! Laisse-moé parler à Pierrette, un peu ! Envoye, chenaille !

GINETTE MENARD — Bon, c'est correct, j'ai compris ! T'es ben contente de m'avoir quand y'a personne, mais aussitôt qu'y'arrive quelqu'un, par exemple . . .

LINDA LAUZON — Ecoute, Robert . . . ben oui, ça fait cinq fois que j'te dis qu'y viennent juste de m'avertir ! C'est pas de ma faute !

THERESE DUBUC — T'nez, cachez ça, madame Dubuc !

ROSE OUIMET, *à Ginette Ménard qui distribue les cokes* — Comment ça va, chez vous, Ginette ?

GINETTE MENARD — Ah ! c'est toujours pareil... Y se battent à cœur de jour... C'est pas nouveau. La mère continue à boire... Le père se fâche... Ça fait des chicanes à pus finir...

ROSE OUIMET — Pauv'p'tite... Pis ta sœur ?

GINETTE MENARD — Suzanne ? C'est toujours la smatte d'la famille ! Sont toutes pâmés devant elle ! Y'a rien qu'elle qui compte. « Ça c't'une bonne fille. Tu devrais faire comme elle, Ginette. A l'a réussi, dans la vie, elle. » Moé, j'compte pas. Ils l'ont toujours aimée plus que moé. J'le sais. Pis astheur qu'est rendue maîtresse d'école, vous comprenez, c'est pus des maudites farces !

ROSE OUIMET — Ben non, voyons, Ginette, pour moé, t'exagères un peu.

GINETTE MENARD — J'sais c'que j'dis ! Ma mère s'est jamais occupée de moé ! C'est toujours Suzanne la plus belle, Suzanne la plus fine. J'ai mon voyage d'entendre ça à cœur de jour ! Même Lise s'occupe pus de moé !

LINDA LAUZON, *au téléphone* — Ah ! pis sacre-moé patience ! Si tu veux rien comprendre, que c'est que tu veux que j'te dise ? Quand tu s'ras plus de bonne humeur, tu me rappelleras ! *(Elle raccroche.)* Vous auriez pas pu me le dire avant que j'étais demandée au téléphone, non ? Y m'a lâché un paquet de bêtises à cause de vous, ma tante !

ROSE OUIMET — Est ben bête! Non, mais est ben bête, c't'enfant-là!

(Projecteur sur Pierrette Guérin.)

PIERRETTE GUERIN — Quand chus partie de chez nous, j'étais en amour par-dessus la tête. J'voyais pus clair. Y'avait rien que Johnny qui comptait pour moé. Y m'a faite pardre dix ans de ma vie, le crisse! J'ai rien que trente ans pis j'me sens comme si j'en arais soixante! Y m'en a tu fait faire, des affaires, c'gars-là! Moé, la niaiseuse, j'l'écoutais! Envoye donc! J'ai travaillé pour lui, au club, pendant dix ans! J'étais belle, j'attirais la clientèle. Tant que ça duré, ça allait ben... Mais là... Bâtard, que chus tannée! J'me crisserais en bas d'un pont, c'est pas mêlant! Tout ce qui me reste à faire, c'est de me soûler. Pis c'est c'que j'fais depuis vendredi. Pauv' Lise, a s'lamente parce qu'est enceinte, pis qu'est mal pris! Mais bonyeu, est jeune, elle, j'vas y donner l'adresse de mon docteur, pis toute va s'arranger, a va pouvoir toute recommencer en neuf. Pas moé! Pas moé! Chus trop vieille! Une fille qui a faite la vie pendant dix ans, ça poigne pus! Chus finie! Pis essayez donc d'expliquer ça à mes sœurs. Comprendront rien! J'le sais pas c'que j'vas devenir, j'le sais pas pantoute!

LISE PAQUETTE, *à l'autre bout de la cuisine* — J'le sais pas c'que j'vas devenir, j'le sais pas pantoute! Se faire avorter, c'est pas une petite affaire! J'ai entendu assez d'histoires là-dessus! Pis c'est pire quand on fait ça nous-autres mêmes, ça fait que chus mieux d'aller voir le docteur à Pierrette! Ah! pourquoi que ça m'arrive toujours à moé, ces affaires-là! Est chanceuse, elle, Pierrette, a travaille dans le même club depuis dix ans, a fait d'l'argent comme de l'eau, pis est en amour. Ah ! que j'l'envie donc ! Même si sa famille l'aime pas, au moins est heureuse de son bord !

PIERRETTE GUERIN — Y m'a laissé tomber comme une roche ! Tiens, fini, n-i, ni ! Veux pus te voir ! T'es trop vieille, asteur, t'es trop laide ! Fais tes bagages, pis débarrasse ! Pus besoin de toé ! Ben l'écœurant, y m'a pas laissé une cenne ! Pas une maudite cenne noire ! Après toute c'que j'ai faite pour lui pendant dix ans ! Dix ans ! Dix ans pour rien ! C'est pas assez pour se tuer, ça, vous pensez ? Que c'est que j'vas d'venir, moé, hein ? Que c'est que j'vas d'venir ? Une p'tite waitress cheap du Kresge comme Lise ? Ah ! non, marci ben ! Le Kresge, c'est bon pour les débutantes pis les mères de famille, pas pour les filles comme moé ! Je le sais pas c'que j'vas d'venir, je le sais pas pantoute ! Pis chus t'obligée de faire la smatte, icitte ! Chus pas pour dire à Linda pis à Lise que chus finie ! *(Silence.)* Ouais . . . Y me reste pus rien que la boisson, asteur . . . Une chance que j'aime ça . . .

LISE PAQUETTE, *à plusieurs reprises pendant le monologue de Pierrette* — J'ai peur, bonyeu, j'ai peur ! *(Elle s'approche de Pierrette et se jette dans ses bras.)* Es-tu sûre que ça va ben aller, Pierrette ? Si tu savais comme j'ai peur !

PIERRETTE GUERIN, *en riant* — Ben oui, ben oui, toute va s'arranger, tu vas voir, toute va s'arranger . . . *(L'éclairage redevient normal.)*

MARIE-ANGE BROUILLETTE, *à Des-Neiges* — On n'est même pus en sécurité aux vues ! L'aut'jour, chus t'allée voir une vieille vue d'Eddie Constantine. Mon mari était resté à la maison. Au beau milieu d'la vue, v'là t'y pas un espèce de vieux écœurant qui vient s'asseoir à côté de moé, pis qui commence à me tâter ! J'étais assez gênée, c'est ben simple ! Mais ça fait rien, j'me sus levée, pis j'y ai sacré un coup de sacoche en pleine face !

DES-NEIGES VERRETTE — Vous avez donc ben faite ! Moé, j'emporte toujours une épingle à chapeau avec moé quand j'vas aux vues. On sait jamais c'qui peut arriver. Pis le premier qui viendrait essayer de me tâter ... Mais j'ai jamais eu à m'en servir.

ROSE OUIMET — Sont pas mal chauds, tes cokes, Germaine.

GERMAINE LAUZON — Quand est-ce que tu vas arrêter de critiquer, hein, quand est-ce que tu vas arrêter ?

LISE PAQUETTE — Linda, as-tu un crayon pis un papier ?

LINDA LAUZON — J'te le dis, Lise, fais pas ça !

LISE PAQUETTE — J'sais c'que j'ai à faire ! Chus décidée pis y'a rien qui va me faire changer d'idée !

RHEAUNA BIBEAU, à Thérèse — Que c'est que vous faites là, donc ?

THERESE DUBUC — Chut ! Pas si fort ! Vous devriez faire pareil ! Deux-trois livrets, ça paraît pas.

RHEAUNA BIBEAU — Chus pas une voleuse !

THERESE DUBUC — Voyons donc, mademoiselle Bibeau, y'est pas question de voler ! A les a eus pour rien, ces timbres-là ! Pis a n'a un million ! Un million !

RHEAUNA BIBEAU — Tant que vous voudrez ! A nous a invitées pour venir coller ses timbres, on est toujours ben pas pour en profiter pour y voler !

GERMAINE LAUZON, *à Rose* — De quoi y parlent, ces deux-là, donc ? J'aime pas les messes basses ! *(Elle s'approche de Rhéauna et de Thérèse.)*

THERESE DUBUC, *la voyant venir* — Heu... ben oui... vous ajoutez deux tasses d'eau, pis vous brassez.

RHEAUNA BIBEAU — Quoi ? *(Apercevant Germaine.)* Ah ! Oui ! A me donnait une recette !

GERMAINE LAUZON — Une recette de quoi, donc ?

RHEAUNA BIBEAU — Des beignes !

THERESE DUBUC — Une poudigne au chocolat !

GERMAINE LAUZON — Ben, entendez-vous, c't'une poudigne, ou bedonc des beignes ! *(Elle revient vers Rose.)* J'te dis, Rose, qu'y se passe des choses pas correctes, icitte, à soir.

ROSE OUIMET, *qui vient de cacher quelques livrets dans son sac à main* — Ben non, ben non... C'est des idées que tu te fais...

GERMAINE LAUZON — Pis j'trouve que Linda reste un peu trop longtemps avec sa tante Pierrette ! Linda, viens icitte...

LINDA LAUZON — Une menute, moman...

GERMAINE LAUZON — J't'ai dit de v'nir icitte ! C'est pas pour demain, c'est pour aujourd'hui !

LINDA LAUZON — O.K. Enarvez-vous pas de même pour rien ! Oui, que c'est qu'y'a, là ?

GABRIELLE JODOIN — Reste avec nous autres, un peu... Tu te tiens pas mal trop avec ta tante...

LINDA LAUZON — Pis ? Que c'est que ça peut ben faire ?

GERMAINE LAUZON — Mais que c'est qu'a l'a à tant jaser avec ton amie Lise, donc ?

LINDA LAUZON — Ah . . . rien . . .

GERMAINE LAUZON — Réponds donc comme du monde, quand on te parle !

GABRIELLE JODOIN — Lise a écrit quelque chose, tout à l'heure.

LINDA LAUZON — C'tait une adresse . . .

GERMAINE LAUZON — Dis-moé pas qu'a l'a pris l'adresse de Pierrette, toujours ! Si jamais j'apprends que t'as été chez ta tante, toé, tu vas avoir affaire à moé, tu m'as compris ?

LINDA LAUZON — Laissez-moé donc tranquille ! Chus t'assez vieille pour savoir c'que j'ai à faire !
(Elle retourne auprès de Pierrette.)

ROSE OUIMET — C'est peut-être pas de mes affaires, Germaine, mais . . .

GERMAINE LAUZON — Quoi, donc, que c'est qu'y'a encore !

ROSE OUIMET — Ta fille Linda est sur une pente ben dangereuse . . .

GERMAINE LAUZON — J'le sais ben que trop ben ! Mais fais-toé s'en pas, Rose, j'vas y voir ! Pis j'te dis qu'a va revenir dans le droit chemin, ça prendra pas gouttinette ! Pis la Pierrette, là, c'est la dernière fois qu'a met les pieds icitte ! M'as la sacrer dehors, frette, net, sec, les cheveux coupés en balai !

MARIE-ANGE BROUILLETTE — Vous avez pas remarqué que la fille de madame Bergeron a engraissé depuis quequ'temps ?

LISETTE DE COURVAL — Oui, j'ai remarqué ça...

THERESE DUBUC, *insinuante* — C'est drôle, hein, a l'engraisse rien que du ventre.

ROSE OUIMET — Faut croire que les érables ont coulé plus de bonne heure c't'année !

MARIE-ANGE BROUILLETTE — A l'essaye de le cacher, à part de ça. Mais ça commence à paraître un peu trop !

THERESE DUBUC — J'comprends donc ! J'sais pas qui c'est qui y'a fait ça, par exemple, hein ?

LISETTE DE COURVAL — Ça doit être son beaupère...

GERMAINE LAUZON — Ça me surprendrait pas pantoute. Y court assez après elle depuis qu'y'a marié sa mère !

THERESE DUBUC — Ça doit pas être beau à voir dans c'te maison-là ! Pauvre Monique, est ben jeune...

ROSE OUIMET — Ah ben, y faut dire qu'a l'a pas mal couru après pareil ! Pour s'habiller comme a s'habille, ça prend une pas grand-chose ! Moé, l'été passé, c'est ben simple, a me gênait ! Pourtant chus pas scrupuleuse ! J'sais pas si vous vous rappelez de ses shorts rouges... y'étaient short all right ! J'lai toujours dit qu'à tournerait mal, Monique Bergeron ! Ça l'a le yable au corps, c'te fille-là ! Une vraie possédée ! D'ailleurs, est rousse. Non, y'ont beau dire, dans les vues françaises que les filles-mères font pitié, moé, j'trouve pas !

(Lise Paquette fait un geste pour se lever.)

PIERRETTE GUERIN — Non, prends sur toé, Lise !

ROSE OUIMET — Ecoutez donc, on se fait pas prendre de même ! Ah ! j'parle pas de celles qui se font violer,

là, ça, c'est pas la même chose ; mais les filles ordinaires qui attrapent un p'tit, là, ben j'les plains pas
pantoute ! C'est ben de valeur ! J'vous dis que j'voudrais pas que ma Carmen m'arrive ammanchée de
même, parce qu'a passerait par le châssis, ça s'rait pas
long ! Mais y'a pas de danger que ça y'arrive, est ben
que trop demoiselle pour ça ! Non, pour moé, là, les
filles-mères, c'est des bon-riennes pis des vicieuses qui
courent après les hommes ! Mon mari appelle ça des
agace-pissettes, lui !

LISE PAQUETTE — Si a se farme pas tu-suite, j'la tue !

GINETTE MENARD — Pourquoi ? Moé, j'trouve qu'a
l'a pas mal raison !

LISE PAQUETTE — Ah ! toé, va t'en, va t'en avant
que j't'étrippe !

PIERRETTE GUERIN — Tu y vas un peu fort, Rose !

ROSE OUIMET — On sait ben, toé, tu dois t'être habituée d'en voir, des affaires de même ! Y'a pus rien qui
doit te surprendre ! Tu dois trouver ça normal ! Ben
pas nous autres ! Y'a quand même moyen d'éviter . . .

PIERRETTE GUERIN, *en riant* — Oui, c'est vrai, j'en
connais quequ's'uns. Les pilules anti-contraceptives,
par exemple . . .

ROSE OUIMET — Y'a pas moyen de te parler, toé !
C'est pas c'que j'voulais dire ! Tu sauras que chus
pas pour l'amour libre, moé ! Chus catholique ! Reste
donc dans ton monde pis laisse-nous donc tranquilles !
Maudite guidoune !

LISETTE DE COURVAL — J'trouve quand même que
vous exagérez, madame Ouimet. Des fois, les filles qui
se font prendre, ce ne sont pas toujours de leur faute.

ROSE OUIMET — Vous, vous croyez toute c'qu'on vous dit dans les vues françaises.

LISETTE DE COURVAL — Que c'est que vous avez contre les vues françaises, donc ?

ROSE OUIMET — J'ai rien contre, mais j'aime mieux les vues anglaises, c'est toute ! Les vues françaises, c'est trop réaliste, trop exagéré ! Y faut pas tout croire c'qu'y disent ! Dans les vues, les filles-mères font toujours pitié sans bon sens, pis c'est jamais de leur faute. Vous en connaissez, vous, des cas de même ? Moé, j'en connais pas ! Une vue, c't'une vue, pis la vie, c'est la vie !

LISE PAQUETTE — M'a la tuer, la calvaire ! Grosse maudite sans dessine ! Ça se parmet de juger le monde, pis ça pas plus de tête... Ben sa Carmen, là, hein, j'la connais sa Carmen, pis j'vous dis que ça vaut pas cher la varge ! Qu'a regarde donc dans sa propre maison avant de chier su'à tête du monde ! *(Projecteur sur Rose Ouimet.)*

ROSE OUIMET — Oui, la vie, c'est la vie, pis y'a pas une crisse de vue française qui va arriver à décrire ça ! Ah ! c'est facile pour une actrice de faire pitié dans les vues ! J'cré ben ! Quand à l'a fini de travailler, le soir, à rentre dans sa grosse maison de cent mille piasses, pis à se couche dans son lit deux fois gros comme ma chambre à coucher ! Mais quand on se réveille, nous autres, le matin... *(Silence.)* Quand moé j'me réveille, le matin, y'est toujours là qui me r'garde... Y m'attend. Tous les matins que le bonyeu emmène, y se réveille avant moé, pis y m'attend ! Pis tous les soirs que le bonyeu emmène, y se couche avant moé, pis y m'attend ! Y'est toujours là, y'est

101

toujours après moé, collé après moé comme une sang-sue ! Maudit cul ! Ah ! ça, y le disent pas dans les vues, par exemple ! Ah ! non, c'est des choses qui se disent pas, ça ! Qu'une femme soye obligée d'endurer un cochon toute sa vie parce qu'à l'a eu le malheur d'y dire « oui » une fois, c'est pas assez intéressant, ça ! Ben bonyeu, c'est ben plus triste que ben des vues ! Parce que ça dure toute une vie, ça ! *(Silence.)* J'l'ai-tu assez r'gretté, mais j'l'ai-tu assez r'gretté. J'a-rais jamais dû me marier ! J'arais dû crier « non » à pleins poumons, pis rester vieille fille ! Au moins, j'arais eu la paix ! C'est vrai que j'étais ignorante dans ce temps-là pis que je savais pas c'qui m'atten-dait ! Moé, l'épaisse, j'pensais rien qu'à « la Sainte Union du Marriage » ! Faut-tu être bête pour élever ses enfants dans l'ignorance de même, mais faut-tu être bête ! Ben, moé, ma Carmen, à s'f'ra pas poigner de même, ok ? Parce que moé, ma Carmen, ça fait longtemps que j'y ai dit c'qu'y valent, les hommes ! Ça, a pourra pas dire que j'l'ai pas avartie ! *(Au bord des larmes.)* Pis a finira pas comme moé, à quarante-quatre ans, avec une p'tit gars de quatre ans sur les bras pis un écœurant de mari qui veut rien compren-dre, pis qui demande son dû deux fois par jour, trois cent soixante-cinq jours par année ! Quand t'arrive à quarante ans pis que tu t'aparçois que t'as rien en arrière de toé, pis que t'as rien en avant de toé, ça te donne envie de toute crisser là, pis de toute recom-mencer en neuf ! Mais les femmes, y peuvent pas faire ça ... Les femmes, sont poignées à'gorge, pis y vont rester de même jusqu'au boute !
(Eclairage générale.)

GABRIELLE JODOIN — En tout cas, les vues françaises, moé, j'aime ça ! Eh ! qu'y'ont donc le tour de faire des belles vues tristes, eux-autres ! J'vous dis qu'y'ont pas de misère à me faire brailler ! Pis y faut dire que les Français sont ben plus beaux que les Canadiens ! Des vraies pièces d'hommes !

GERMAINE LAUZON — Ah ! ben non par exemple, là j't'arrête ! Là, t'as menti !

MARIE-ANGE BROUILLETTE — Les Français, c'est toute des p'tits bas-culs qui me viennent même pas à l'épaule ! Pis y sont ben trop efféminés ! Y'ont toute l'air de vraies femmes !

GABRIELLE JODOIN — J'vous demande ben pardon ! Y'en a qui sont hommes ! Pis autrement hommes que nos pauvres maris !

GERMAINE LAUZON — Ah ! J'cré ben, si tu prends nos maris comme exemple ! On mélange pas les torchons pis les sarviettes ! Nos maris, c'est ben sûr qu'y font durs, mais prends nos acteurs, là, sont aussi beaux pis aussi bons que n'importe quel Français de France !

GABRIELLE JODOIN — En tout cas, moé, Jean Marais, j'y f'rais pas mal ! Ça, c't'un homme !

OLIVINE DUBUC — Coke... coke... encore... coke...

THERESE DUBUC — Taisez-vous donc, madame Dubuc !

OLIVINE DUBUC — Coke ! Coke !

ROSE OUIMET — Ah ! faites-là taire un peu, on s'entend pus coller ! Donnes-y donc un coke, Germaine, ça va la boucher pour quequ'temps !

GERMAINE LAUZON — Ben, j'pense que j'en ai pus !

ROSE OUIMET — Bonyeu, t'en avais pas acheté gros !
Tu ménages ! Tu ménages !

RHEAUNA BIBEAU, *en volant des timbres* — Après
toute, y m'en manque juste trois pour avoir mon
porte-poussière chromé.

(Entre Angéline Sauvé.)

ANGELINE SAUVE — Bonsoir . . . *(A Rhéauna.)* Chus
rev'nue . . .

LES AUTRES, *sèchement* — Bonsoir . . .

ANGELINE SAUVE — J'ai été voir l'abbé de Castelneau . . .

PIERRETTE GUERIN — A m'a même pas regardée !

DES-NEIGES VERRETTE — Que c'est qu'à peut ben
vouloir à mademoiselle Bibeau, donc ?

MARIE-ANGE BROUILLETTE — Moé, chus certaine
qu'a vient y demander pardon. Après toute, mademoiselle Sauvé, c't'une bonne personne, a sait comprendre le bon sens. Vous allez voir, tout va s'arranger pour le mieux.

GERMAINE LAUZON — En attendant, j'vas aller voir
à combien de livrets qu'on est rendu.

*(Les femmes se dressent sur leurs chaises. Gabrielle
Jodoin hésite, puis . . .)*

GABRIELLE JODOIN — Hon ! Germaine, j'ai oublié
de te dire ça ! J't'ai trouvé une corsetière ! Une dame
Angélina Giroux ! Viens icitte, que j't'en parle !

RHEAUNA BIBEAU — J'savais que tu m'reviendrais,
Angéline ! Chus ben contente. Tu vas voir, on va
prier ensemble, pis le bon Dieu va oublier ça ben vite !
C'est pas un fou, t'sais, le bon Dieu !

LISE PAQUETTE — C'est ben ça, Pierrette, y sont rac-
cordées !

PIERRETTE GUERIN — J'ai mon hostie de voyage !

ANGELINE SAUVE — J'vas quand même aller dire bonsoir à Pierrette, y expliquer . . .

RHEAUNA BIBEAU — Non, tu s'rais mieux de pus y parler pantoute ! Reste avec moé, laisse-là faire, elle ! C'est fini, c't'histoire-là !

ANGELINE SAUVE — Bon, comme tu voudras.

PIERRETTE GUERIN — Ça y'est. A l'a gagné ! J'ai pus rien à faire icitte, moé, chus t'écœurée quequ'chose de rare ! J'vas crisser mon camp !

GERMAINE LAUZON — T'es ben smatte, Gaby. J'commençais à désespérer, tu comprends. C'est pas n'importe qui qui peut me faire des corsets. J'vas aller la voir, la semaine prochaine. *(Elle se dirige vers la caisse aux livrets. Les femmes la suivent toutes du regard.)* Bonyeu, y'en a pas gros ! Ousqu'y sont toutes, donc, les livrets ? Y'en a rien qu'une dizaine, dans le fond ! Y sont peut-être . . . non, la table est vide ! *(Silence. Germaine Lauzon regarde toutes les femmes.)* Que c'est qui se passe icitte, donc ?

LES AUTRES — Ben . . . heu . . . j'sais pas . . . franchement . . .
(Elles font semblant de chercher les livrets. Germaine se poste devant la porte.)

GERMAINE LAUZON — Où sont mes timbres ?

ROSE OUIMET — Ben, voyons, Germaine, cherche un peu !

GERMAINE LAUZON — Y sont pas dans la caisse, pis y sont pas sur la table ! J'veux savoir où sont mes timbres !

OLIVINE DUBUC, *sortant des timbres cachés dans ses vêtements* — Timbres ? Timbres . . . timbres . . . *(Elle rit.)*

THERESE DUBUC — Madame Dubuc, cachez ça . . . Maudit, madame Dubuc !

MARIE-ANGE BROUILLETTE — Bonne Sainte-Anne!

DES-NEIGES VERRETTE — Priez pour nous !

GERMAINE LAUZON — Mais a n'a plein son linge ! Mais que c'est ça, a n'a partout ! Tiens, pis tiens . . . Thérèse . . . c'est pas vous, toujours.

THERESE DUBUC — Ben non, voyons ,j'vous jure que j'savais pas !

GERMAINE LAUZON — Montrez-moé vot'sacoche !

THERESE DUBUC — Voyons donc, Germaine, si vous avez pas plus confiance en moé que ça.

ROSE OUIMET — Germaine, t'exagères !

GERMAINE LAUZON — Toé aussi, Rose, j'veux voir ta sacoche ! J'veux toute voir vos sacoches ! Toute la gang !

DES-NEIGES VERRETTE — J'refuse ! C'est la première fois qu'on me manque de respect de même !

YVETTE LONGPRE — Oui, certain !

LISETTE DE COURVAL — Je ne remettrai plus jamais les pieds ici !
(Germaine Lauzon s'empare du sac de Thérèse et l'ouvre. Elle en sort plusieurs livrets.)

GERMAINE LAUZON — Hein ? Hein ? J'savais ben ! j'suppose que c'est pareil dans les autres sacoches ! Mes maudites vaches, par exemple ! Vous sortirez pas d'icitte, vivantes ! M'as toutes vous assommer !

PIERRETTE GUERIN — M'as t'aider, Germaine ! Toute une gang de maudites voleuses ! Pis ça vient lever le nez sur moé !

GERMAINE LAUZON — Montrez-moé toutes vos sacoches. *(Elle arrache le sac à Rose.)* Tiens ... pis tiens ! *(Elle prend un autre sac.)* Encore icitte. Pis tiens, encore ! Vous aussi, mademoiselle Bibeau ? Y'en a rien que trois, mais y'en a pareil !

ANGELINE SAUVE — Hon ! Rhéauna ! Toé aussi !

GERMAINE LAUZON — Toute ! Toute la gang ! Vous êtes toutes des écœurantes de voleuses !

MARIE-ANGE BROUILLETTE — Vous les méritez pas, ces timbres-là !

DES-NEIGES VERRETTE — Pourquoi vous plus qu'une autre, hein ?

ROSE OUIMET — Tu nous a fait assez baver avec ton million de timbres !

GERMAINE LAUZON — Mais, c'est à moé ces timbres-là !

LISETTE DE COURVAL — Ils devraient être à tout le monde !

LES AUTRES — Oui, à tout le monde !

GERMAINE LAUZON — Mais sont à moé ! Donnez-moé-les !

LES AUTRES — Jamais !

MARIE-ANGE BROUILLETTE — Y'en reste encore ben dans les caisses, servons-nous !

DES-NEIGES VERRETTE — Oui, certain !

YVETTE LONGPRE — J'vas remplir ma sacoche.

GERMAINE LAUZON — Arrêtez ! Touchez-y pas !

THERESE DUBUC — T'nez, madame Dubuc, en v'là. T'nez, encore.

107

MARIE-ANGE BROUILLETTE — V'nez, mademoiselle Verrette, y'en a en masse, icitte. Aidez-moé.

PIERRETTE GUERIN — Lâchez ça tu-suite !

GERMAINE LAUZON — Mes timbres ! Mes timbres !

ROSE OUIMET — Viens m'aider, Gaby, j'en ai trop pris!

GERMAINE LAUZON — Mes timbres ! Mes timbres !

(Une grande bataille s'ensuit. Les femmes volent le plus de timbres qu'elles peuvent. Pierrette et Germaine essaient de les arrêter. Linda et Lise restent assises dans un coin et regardent le spectacle sans bouger. On entend des cris, quelques femmes se mettent à se battre.)

MARIE-ANGE BROUILLETTE — C'est à moé, ceux-là !

ROSE OUIMET — Vous avez ben menti, sont à moé !

LISETTE DE COURVAL, *à Gaby* — Voulez-vous ben m'lâcher ! Voulez-vous ben m'lâcher !

(On commence à se lancer des livrets de timbres par la tête. Tout le monde pige à qui mieux mieux dans les caisses, on lance des timbres un peu partout, par la porte, par la fenêtre. Olivine Dubuc essaie de se promener avec sa chaise roulante et hurle le « O Canada ». Quelques femmes sortent avec leur bagage de timbres. Rose et Gabrielle restent un peu plus longtemps que les autres.)

GERMAINE LAUZON — Mes sœurs ! Mes propres sœurs ! *(Gabrielle et Rose sortent. Il ne reste plus dans la cuisine que Germaine, Linda et Pierrette. Germaine s'écroule sur une chaise.)* Mes timbres ! Mes timbres.

(Pierrette passe ses bras autour des épaules de Germaine.)

PIERRETTE GUERIN — Pleure pas, Germaine !

GERMAINE LAUZON — Parle-moé pas ! Va-t'en ! T'es pas mieux que les autres !

PIERRETTE GUERIN — Mais . . .

GERMAINE LAUZON — Va-t'en, j'veux pus te voir !

PIERRETTE GUERIN — Mais, j't'ai défendue ! Chus t'avec toé, Germaine !

GERMAINE LAUZON — Va-t'en, laisse-moé tranquille ! Parle-moé pus ! J'veux pus voir parsonne !

(Pierrette sort lentement. Linda se dirige elle aussi vers la porte.)

LINDA LAUZON — Ça va être une vraie job, toute nettoyer ça !

GERMAINE LAUZON — Mon dieu ! Mon dieu ! Mes timbres ! Y me reste pus rien ! Rien ! Rien ! Ma belle maison neuve ! Mes beaux meubles ! Rien ! Mes timbres ! Mes timbres !

(Elle s'écroule devant une chaise et commence à ramasser les timbres qui traînent. Elle pleure à chaudes larmes. On entend toutes les autres à l'extérieur qui chantent le « O Canada ». A mesure que l'hymne avance, Germaine retrouve son « courage » et elle finit le « O Canada » avec les autres, debout à l'attention, les larmes aux yeux. Une pluie de timbres tombe lentement du plafond . . .)

RIDEAU

données
jeunes femmes tres pauvres
serin - young gay man

LES PERSONNAGES
DONT ON PARLE,
MAIS QU'ON NE VOIT PAS DANS
«LES BELLES-SOEURS»

PAR ANDRÉ BRASSARD

AUBIN, Diane (nageuse aquatique)

BACON, Juliette (épouse du suivant, invitée au party de Fleur-Ange David)

BACON, Roméo (époux de la précédente et invité au party de Fleur-Ange David)

BARIL, Madame (veuve)

BARIL, Rolande (fille de Rosaire Baril, fait de la culpabilité)

BARIL, Rosaire (mort)

BEAUPRE, Liliane (invitée au party de Fleur-Ange David)

BELAIR, Manon (fille-mère)

BERGERON, Madame (mère de Monique et de Richard, pourvoyeuse en chaises, mariée en secondes noces à un satyre)

BERGERON, Monique (fille de la précédente, fille-mère, agace-pissette au dire de Rose Ouimet)

BERGERON, Richard (fils de la précédente, fort utile pour les commissions)

BERGERON, Robert (fils de madame Bergeron, colleur de semelles en passe de devenir p'tit boss, steady de Linda Lauzon)

BLEAU, Mimi (invitée au party de Fleur-Ange David)

BROUILLETTE, Monsieur (mari de Marie-Ange Brouillette)

BROUILLETTE, M. et MMe (beaux-parents de Marie-Ange Brouillette)

BROUILLETTE, Simone (belle-soeur de Marie-Ange, mère d'une fille en dépression)

CADIEUX, Laura (invitée au party de Fleur-Ange David)

CADIEUX, Pit (sans parenté évidente avec la précédente, lui-aussi invité au party de Fleur-Ange David)

CAMPEAU, Rose (invitée au party de Fleur-Ange David)

DE CASTELNEAU, l'abbé (directeur de conscience d'Angéline Sauvé)

CHABOT, Roger (invité au party de Fleur-Ange David)

CHAMPAGNE, LUDGER (invité au party de Fleur-Ange David)

CINQ-MARS, Grégoire (invité au party de Fleur-Ange David)

CONSTANTINE, Eddy (acteur franco-américain, idole de Marie-Ange Brouillette)

DE COURVAL, Léopold (mari de Lisette, endetté)

DE COURVAL, Micheline (fille de Lisette, opératrice de machines I.B.M.)

DAVID, Aurèle (père d'Oscar, invité au party de Fleur-Ange David)

DAVID, Claude (fils de Fleur-Ange David)

DAVID, Fernand (fils de Fleur-Ange)

DAVID, Fleur-Ange (heureuse jubilaire)

DAVID, Lisette (fille de Fleur-Ange)

DAVID, Micheline (fille de Fleur-Ange)

DAVID, Oscar (mari de Fleur-Ange)

DAVID, Ozéa (mère d'Oscar)

DAVID, Raymond (fils de Fleur-Ange)

DAVID, Réal (fils de Fleur-Ange)

DAVID, Yves (fils de Fleur-Ange)

DUBE, Madame (voisine; habite en bas des Robitaille; propriétaire d'un hamac)

DUBE, Monsieur (mari de la précédente dont la paresse a été punie)

DUBUC, Monsieur (beau-frère d'Henri Lauzon)

DUBUC, Paolo (fils de Thérèse Dubuc)

FORTIER, Théodore (invité au party de Fleur-Ange David)

FOURNIER, Antonio (invité au party de Fleur-Ange David)

FOURNIER, Rita (femme du précédent, invitée au party de Fleur-Ange David)

GAGNE, l'abbé (s'occupe des loisirs de la paroisse; un peu trop « à la mode » au dire de certaines dames)

GARIEPY, Ovila (invité au party de Fleur-Ange David)

GAUVIN, Napoléon (invité au party de Fleur-Ange David)

GERVAIS, Armand (invité au party de Fleur-Ange David)

GERVAIS, Georges-Albert (invité au party de Fleur-Ange David)

GERVAIS, Germaine (invitée au party de Fleur-Ange David)

GERVAIS, Wilfrid (invité au party de Fleur-Ange David)

GIROUX, Angélina (corsetière)

GLADU, Madame (mère du suivant)

GLADU, Raymond (vedette locale)

GUAY, Hormidas (invité au party de Fleur-Ange David)

GUERIN, Monsieur (père des sœurs Guérin : Rose, Germaine, Gabrielle et Pierrette)

HEROUX, Hermine (invitée au party de Fleur-Ange)
JOANETTE, Conrad (invité au party de Fleur-Ange David)
JODOIN, Monsieur (mari de Gabrielle, a une réputation d'avarice)
JODOIN, Raymond (fils ingrat de Gabrielle)
JOHNNY (maudit)
JOLY, Roger (invité au party de Fleur-Ange David)
LAFLAMME, Simone (invitée au party de Fleur-Ange David)
LANDREVILLE, Jeannette (invitée au party de Fleur-Ange David)
LANGLOIS, Philémon (invité au party de Fleur-Ange David)
LAPLANTE, Nina (invitée au party de Fleur-Ange David)
LATOUR, Virginie (invitée au party de Fleur-Ange David)
LAUZON, Henri (mari de Germaine, travaille la nuit)
LAUZON, le p'tit (fils de Germaine, fait parfois les commissions)
LEMOYNE, Daniel (invité au party de Fleur-Ange David)
LEMOYNE, Rose-Aimée (invitée au party de Fleur-Ange David)
LIASSE, Léa (invitée au party de Fleur-Ange David)
LONGPRE, Claudette (fille d'Yvette, nouvelle mariée, a fait un très beau
   voyage de noces)
LONGPRE, Euclide (mari d'Yvette ; bricoleur)
MARAIS, Jean (acteur français, idole de Gabrielle Jodoin)
MENARD, Madame (mère marâtre de Ginette ; ivrognesse)
MENARD, Monsieur (mari de la précédente ; coléreux)
MENARD, Suzanne (soeur de Ginette ; maîtresse d'école ; a toutes les
   qualités)
MEUNIER, Eliane (invitée au party de Fleur-Ange David)
MOREL, Marcel (invité au party de Fleur-Ange David)
MORRISSETTE, Gilberte (invitée au party de Fleur-Ange David)
OUIMET, Aline (soeur du mari de Rose ; possède de beaux verres)
OUIMET, Bernard (fils chéri de Rose)
OUIMET, Bruno (petit fils de Rose)
OUIMET, Carmen (fille de Rose ; demoiselle)
OUIMET, Manon (belle-fille de Rose ; aurait tous les défauts)
OUIMET, Michel, (fils de Rose ; porté sur les Italiennes)
OUIMET, Monsieur (mari de Rose, aux appétits sexuels débordants(?))
OUIMET, le P'tit (âgé de quatre ans, dernier(?) enfant de Rose)
PAQUETTE, Monsieur (père de Lise, violent)
PORTELANCE, Robertine (invitée au party de Fleur-Ange David)
QUINTAL, Rodolphe (invité au party de Fleur-Ange David)

ROBITAILLE, Daniel (a fait une chute malheureuse)

ROBITAILLE, Madame (voisine, mère du précédent)

ROCHON, l'abbé (prédicateur invité)

ROSE-AIMEE (?) (belle-soeur d'Angéline Sauvé)

ROULEAU, Rosaire (invité au party de Fleur-Ange David)

SANSREGRET, Willie (invité au party de Fleur-Ange David)

SIMARD, Antonio (invité au party de Fleur-Ange David)

SIMARD, Henri (commis voyageur, ne serait pas indifférent aux charmes de Des-Neiges Verrette)

SMITH, Alexandrine (invitée au party de Fleur-Ange David)

THIBAULT, Louis (invité au party de Fleur-Ange David)

THIBODEAU, Alexandre (invité au Party de Fleur-Ange David)

TREMBLAY, Blanche (invitée au party de Fleur-Ange David)

TREMBLAY, Monsieur (absent au Party de Fleur-Ange David pour cause de décès)

TURGEON, Anne-Marie (invitée au party de Fleur-Ange David)
... et les autres :
La belle-soeur d'une des belles-soeurs de Thérèse Dubuc (pauvre)
Le Bon Dieu (vient comme un voleur)
Monsieur le curé (ennemi des concours, mais organisateur de Bingos)
Le docteur à Pierrette (avorteur)
La fille de la belle-soeur Simone de Marie-Ange Brouillette (dépressive)
La fille de l'Italienne (dévergondée)
Le gars qui vend de la viande à'shop (voleur)
L'Italienne (voisine, mère de la dévergondée, pudique ou malpropre ...)
Le lieutenant du transatlantique (« une belle pièce d'homme »)
La mère de Monsieur Baril (le mort) (ancienne compagne de classe de Rhéauna Bibeau et d'Angéline Sauvé)
Le nouveau mari de madame Bergeron (satyre)
Le père de l'enfant de Lise Paquette (?)
Le prêtre des retraites de l'année passée (piètre prédicateur)
Le p'tit gars de La Presse (inoffensif)
Les représentants de la compagnie de timbres (jeunes hommes de belle apparence, sachant bien s'exprimer)
La soeur de Madame Baril (ne sait pas porter le deuil, a l'air plus vieille que son âge)

Les Français (p'tits bas-culs qui font de bien belles vues)
Les Européens (ne se lavent pas)
Les femmes des Iles Canaries (portent seulement des jupes)
La voisine (appelleuse de police)

J'AI EU LE COUP DE FOUDRE

PAR JEAN-CLAUDE GERMAIN

Je n'y peux rien : les auteurs dramatiques ont le don de me mettre en colère. J'attends d'eux une étincelle qui mette le feu aux poudres. J'attends d'eux un miracle et quand il ne se produit pas, ça me fout en rogne. Quand une pièce québécoise m'a déçu, j'ai envie d'aller engueuler l'auteur, de lui agiter mes chaînes sous le nez. Parce qu'au fond, cette colère, c'est le mouvement d'impatience d'un prisonnier. D'un prisonnier qui s'attend à ce que par la magie du théâtre, un autre, prisonnier comme lui, puisse lui faire entrevoir la liberté ; puisse lui faire éprouver, même si ce n'était que pour un instant, la sensation d'être un homme libre. Ce que j'attends du théâtre québécois, c'est la libération.

Les **Belles-Soeurs** de Michel Tremblay n'ont rien en commun avec le théâtre québécois de libération tel que j'ai pu l'imaginer. Jamais je n'aurais pu prévoir qu'une réplique comme « Mes timbres ! Mes timbres ! », prononcée par une femme à qui on vient de voler un million de timbres-primes, m'aurait tant bouleversé. Et c'est sans doute pour cette raison-là que j'ai eu le coup de foudre pour les **Belles-Soeurs**. Pourquoi la pièce de Tremblay a été pour moi une révélation. Pourquoi j'ai quitté la salle des Apprentis-Sorciers sans participer à la discussion qui suit toujours ces lectures organisées par le Centre d'essai des auteurs dramatiques. Les **Belles-Soeurs**, c'était « ça ». Tellement « ça » que je n'avais rien à dire, rien à ajouter. Pour les **Belles-Soeurs**, Tremblay ne doit rien à personne, et, dans le peloton des jeunes auteurs dramatiques, il est le premier qui se produit dont la voix et la vision soient parfaitement originales. D'ores et déjà, dans la brève histoire du théâtre québécois, la pièce de Tremblay est une étape aussi importante et aussi décisive que le furent à leur époque **Ti-coq** de Gratien Gélinas ou **Zone** de Marcel Dubé. Drôle, cruel, sans complaisance, le ton des **Belles-Soeurs** est celui d'un nouveau réalisme.

Bien sûr, l'avènement de Michel Tremblay ne condamne pas Gélinas ou Dubé à l'oubli. Au contraire, je crois que les **Belles-Soeurs** permettent enfin de les voir et de les prendre pour ce qu'ils sont. Maintenant que cette pièce-là existe, on ne pourra plus — à chacune de leurs nouvelles pièces — leur reprocher précisément de ne pas avoir écrit **les Belles-Soeurs**.

Le phénomène du jeune auteur dramatique a fait son apparition bien avant la venue de Michel Tremblay. Robert Gurik, Claude Levac, Robert Gauthier, Roger Dumas, Denys Saint-Denis et Jean Morin ont tous déjà eu de leurs pièces créées à la scène. Mais, à l'exception de Robert Gauthier, la plupart d'entre eux ont choisi de s'exprimer dans des formes théâtrales totalement différentes, le plus souvent aux antipodes du réalisme de Gélinas ou de Dubé. Michel Tremblay est le premier à reprendre dans un cadre réaliste le thème de la « famille québécoise ».

Gélinas et Dubé ont toujours écrit leurs pièces à partir de l'intérieur, tout comme s'ils faisaient encore partie de la famille ou du milieu social qu'ils avaient choisi de mettre en scène. Ils se débattent à l'intérieur de la famille, ils se révoltent à l'intérieur de la famille. Michel Tremblay, lui, a écrit **les Belles-Soeurs** de l'extérieur tout comme s'il avait regardé Germaine et sa famille à travers une vitre. Il ne fait plus partie de la famille. C'est un étranger.

Un des désavantages majeurs du réalisme à la façon de Gélinas ou à la façon de Dubé, c'est que, dans les deux cas, l'auteur est omniprésent. Tous les personnages parlent au nom de l'auteur : sur scène, ce ne sont que des ombres chinoises que l'auteur anime par derrière. Dans ce théâtre-là, la clé de l'énigme, la réponse aux conflits, se trouve toujours dans les coulisses. Parce que ses personnages ne sont que des porte-parole, l'auteur a tendance à leur donner des préoccupations qui sont beaucoup plus proches des siennes que de celles des gens ou du milieu social que ses personnages représentent. Ce qui explique, d'ailleurs, le succès des pièces de Gélinas ou de Dubé : elles revalorisent le spectateur à ses propres yeux et lui permettent de s'illusionner sur lui-même. Plus un auteur est loin de la vérité, plus les gens qu'il vise diront qu'il les a représentés comme ils sont vraiment : cela va de soi. Illusion d'autant plus grave que tous les personnages de ce réalisme-là s'apitoient sur eux-mêmes et cherchent par tous les moyens à nous apitoyer sur leur sort ou sur leur impuissance. Curieusement, le théâtre de Gélinas et de Dubé — dont le thème profond est l'impuissance autant individuelle que collective — est un théâtre qui donne bonne conscience. Sous différentes formes, il reprend la vieille formule magique du XIXe siècle : « Si on voulait vraiment, on pourrait... » Pour eux, le drame c'est de ne pas vouloir assez.

122

L'auteur des **Belles-Soeurs**, Michel Tremblay, est complètement absent de sa pièce. Après l'avoir lue — ou entendue lire — on ne sait rien sur lui, mais on sait tout, enfin tout ce qu'il faut savoir, sur la grosse Germaine, sa fille, ses soeurs et ses amies.

Germaine n'a pas les moyens de vouloir quoi que ce soit. Par elle-même, elle ne peut rien. C'est le hasard, le fait de gagner un million de timbres-primes, qui lui donne le pouvoir de rêver. Un hasard mesquin qui n'ira pas jusqu'à lui permettre de sortir de son monde. Mais Germaine ne rêve pas l'impossible. Pour elle, un million de timbres-primes, ça lui permet de réaliser un rêve à sa mesure : meubler son appartement en neuf avec du « moderne » et des « chaises chromées ». Un rêve que les soeurs et les amies de Germaine ne lui pardonneront pas d'avoir fait. « Pourquoi elle plus qu'une autre ? », diront-elles. Et, sur ce, elles déposséderont Germaine de ses timbres et de son rêve.

L'impuissance dans **Les Belles-Soeurs** est préalable. Elle est endémique. On n'y fait même plus attention parce qu'il faut bien vivre. « Je suis cheap, pis je l'sais », dit une des amies de la fille de Germaine. « Etre cheap », c'est être démuni de moyens, être dépossédé de ses moyens. A l'exception d'une des amies de Germaine qui a acquis un pseudo-vernis de français en Europe, tout le monde parle la langue du ghetto, le « joual ». Pour eux, l'impuissance n'est pas un problème, c'est une réalité dont ils souffrent et dont ils ne prendront jamais conscience. Jamais, parce que le « joual » — qui est une langue appauvrie et sans pouvoirs hors de la réalité immédiate — empêche toute prise de conscience. « On est cheap », pour eux, c'est le constat d'une réalité irrémédiable. On ne sort pas de ce ghetto-là.

Tremblay ne s'apitoie pas, il nous dit brutalement : « Regardez bien ! C'est comme ça ! C'est aussi pire que ça ! » Aux **Belles-Soeurs**, il n'y a qu'une réaction possible : « Non ! Je n'accepte pas ça ni pour moi ni pour personne. » Evidemment, il se peut fort bien que tout le monde ne réagisse pas de cette façon aux **Belles-Soeurs**. Une chose cependant est certaine : personne n'en sortira avec une bonne conscience.

Germaine, ses soeurs, ses amies, tout ce monde-là geint, gémit, se plaint. Mais ils savent bien que ça ne changera rien à rien. On ne s'apitoie pas sur les personnages de Tremblay, on rit d'eux. On ne rit pas de ce qu'is disent, mais de la façon dont ils le disent. Quand Tremblay déclare des **Belles-Soeurs** que c'est « effrayant », il a tout à fait raison. Dépouillée de toutes les excuses, de toutes les justifications,

123

nue, notre réalité ferait peur à un mort. Tellement peur qu'il en retrouverait peut-être le goût de vivre.

On ne se reconnaît pas dans la famille des **Belles-Soeurs**, on reconnaît la famille québécoise. Tremblay ne nous a pas amenés là pour participer au jeu, nous sommes là pour constater. Si vous riez, tant mieux. Si vous sympathisez, tant pis. Et comme ce n'est jamais facile d'avoir des réactions aussi tranchées, les **Belles-Soeurs** vous laissent continuellement à mi-chemin entre ces deux extrêmes. Des dépossédés qui s'apitoient sur eux-mêmes ou qui se méprisent eux-mêmes, se dépossèdent encore un peu plus. Rire de soi-même, rire de son impuissance, c'est reprendre possession de soi. C'est déjà posséder.

Les **Belles-Soeurs**, ce n'est ni une pièce comique, ni une pièce dramatique : c'est une pièce qui grince entre les deux. Pour Germaine, c'est peut-être un drame de perdre ses timbres-primes ; mais, pour nous, le drame c'est d'en être réduit à la condition de Germaine.

Plusieurs personnages des **Belles-Soeurs** sont dramatiques si l'on se réfère aux critères habituels, mais ce n'est qu'à la toute fin, quand Germaine crie « Ils m'ont pris ma maison », que la pièce prend une dimension dramatique. Tout ce qui avait pu être pittoresque, tout ce qui avait pu être savoureux, tout ça disparaît d'un coup pendant que sous les pieds de Germaine s'ouvre un gouffre qui donne le vertige : le néant québécois.

Jusqu'ici, le pur « joual » n'avait fait son apparition qu'à titre de langue de traduction (dans **Pygmalion** et dans **Un goût de miel**) et à ma connaissance la pièce de Michel Tremblay est la première qui soit écrite en « joual ». J'ignore si Michel Tremblay a l'intention d'écrire d'autres pièces dans cette langue, mais je doute fort qu'il puisse pousser plus loin l'expérience des **Belles-Soeurs**.

D'ailleurs, si la pièce de Tremblay est d'ores et déjà un point tournant dans l'histoire du théâtre québécois, cela ne tient pas exclusivement au fait qu'elle soit rédigée en « joual ». Loin de là. Le point tournant, c'est l'apparition de ce nouveau réalisme qui veut que l'auteur n'occupe plus le centre de la scène avec ses problèmes psychologiques, ses interrogations philosophiques ou ses préoccupations politiques.

Avec les **Belles-Soeurs**, Michel Tremblay ouvre la voie de la réalité. Une voie dans laquelle le jeune théâtre québécois — qu'il soit d'avant-garde ou expérimental — devra s'engager s'il ambitionne jamais de devenir un théâtre de libération. Une étape qu'il devra franchir avant de devenir effectivement le théâtre de la libération.

1968

QUAND LE METTEUR EN SCÈNE...

PAR ANDRÉ BRASSARD

Né il y a 25 ans au coin de Fabre et Gilford, il habite maintenant sur de Lorimier près de Masson.

Tour à tour livreur au Ty-Coq Bar-B-Q, étudiant aux Arts graphiques, typographe à l'Imprimerie judiciaire (c'est là qu'il côtoie Ixe 13 et Albert Brien), il devient ensuite vendeur de tissus au magasin des costumes de Radio-Canada.

Premier prix au concours des Jeunes Auteurs organisé par Radio-Canada, avec sa pièce le Train en 1964. Le Train est joué deux fois au petit théâtre de la Place Ville-Marie.

Contes pour buveurs attardés, publié aux Editions du Jour en juin 1966. Cinq, six pièces en 1 acte montées par le Mouvement Contemporain au Patriote durant l'hiver 1966.

Boursier du Conseil des Arts, il passe le mois de janvier et de février 1968 au Mexique pour écrire un roman fantastique. C'est là que naît la Duchesse de Langeais. La première version des Belles-Soeurs a été écrite durant l'été 1965, et il serait trop long de raconter les espoirs et les déceptions qui ont séparé la naissance de la pièce de sa lecture.

Le monde de Tremblay, celui de son théâtre comme celui de ses contes et de son roman, est un monde de la démesure.

Il a consacré le « monde d'ici » en y trouvant des grands personnages de théâtre, parfois aussi des monstres. Ses personnages sont des gens que nous connaissons, que nous avons connus, que nous fûmes, que nous sommes.

De la vendeuse de tickets, en passant par les hommes-sandwichs et les « waitresses » aux Belles-Soeurs colleuses de timbres-primes et jalouses à crever jusqu'au dernier personnage de la galerie, la duchesse de Langeais, c'est la même insatisfaction, la même révolte, la même soumission.

Tremblay, pour représenter des personnages, renoue avec les procédés du théâtre antique, magnifie le joual qui devient, par sa vulgarité même, incantatoire. Le théâtre de Tremblay est aussi un théâtre à claques sur la gueule, un théâtre de la destruction, un théâtre cruel. **Les Belles-Soeurs** sont aussi une cérémonie d'exorcisme d'un monde de femmes qui fut trop présent.

L'oeuvre de Tremblay est essentiellement d'aujourd'hui parce que, loin de nier, d'édulcorer ou de ridiculiser une réalité qui est la nôtre propre, elle la magnifie, en projette les vices, la mesquinerie, les grandeurs et les monstres.

Il aurait fallu aussi parler de la justesse de ses observations, de sa langue toujours vraie, de son dialogue percutant.

Il aurait fallu parler... Le mieux est de lire **les Belles-Soeurs** à haute voix... ou mieux d'assister à la représentation.

1968

LA PIÈCE DEVANT

LA CRITIQUE

L'AMOUR DU « JOUAL » ET DES TIMBRES-PRIMES

« Les Belles-Sœurs », la comédie de Michel Tremblay qui vient de prendre le départ au Rideau Vert, suscite chez moi des réactions contraires dont je ne saurais, dans les quelques heures à ma disposition, faire la synthèse complète.

D'une part, je reconnais volontiers que nous avons en Michel Tremblay un auteur dramatique de talent possédant un extraordinaire don d'observation et dont l'humour parfois féroce tombe pile. Sur ce plan-là, il ne fait aucun doute que l'entrée de Michel Tremblay au théâtre est fracassante.

Mais d'autre part devant la grossièreté et la vulgarité de son texte, je ne puis m'empêcher de penser que la direction du Rideau Vert a peut-être rendu un mauvais service à l'auteur en acceptant de produire sa pièce.

Je ne suis pas bigot de nature, mais je dois bien avouer que c'est la première fois de ma vie que j'entends en une seule soirée autant de sacres, de jurons, de mots orduriers de toilette.

Cette grossièreté et cette vulgarité procèdent de la théorie archi-réaliste suivant laquelle le « joual » est la langue naturelle et nationale des Québécois et qu'en conséquence, lorsqu'on met en scène des gens d'une certaine classe de la société québécoise il faille, quoi qu'il en coûte, user du langage que, prétend-on, ils emploient.

En partant d'une telle prémisse, il est presque fatal que l'on exagère le langage que l'on prête aux personnages qui évoluent sur la scène et qu'on ne sache ni où ni quand s'arrêter. Au grand ébaudissement des snobs pour qui le « joual » est devenu non seulement une curiosité mais encore un jeu de société !

J'ai déjà dit en d'autres circonstances combien la préciosité vers le bas pouvait être artificielle et détestable. Inutile d'y revenir. Et dans cette voie, il est difficile d'aller plus loin que Michel Tremblay. Les

133

romanciers de l'Ecole de « Parti Pris » se sont rendus compte que l'utilisation du « joual » ne débouchait sur rien. Espérons qu'après « Les Belles-Sœurs » nos auteurs dramatiques — et aussi les directeurs de troupe — s'apercevront de la futilité et de l'ineptie du procédé.

D'une situation assez farfelue mais qui n'a rien de gratuit, Tremblay tire tous les effets possibles. Au départ, il y a Germaine Lauzon (incarnée avec un métier parfait par Denise Proulx) qui, après avoir gagné un million de timbres-primes, invite ses belles-sœurs et quelques voisines à une séance de « collage ». La séance se déroule avec tous les rebondissements, querelles, papotages imaginables et se termine en tragédie, les invitées dépouillant Germaine Lauzon de son précieux trésor et même de quelques pièces de son mobilier.

A condition de ne pas être trop allergique au « joual », on peut passer une bonne soirée au Rideau Vert. Car le talent de Michel Tremblay, s'il ne force pas l'admiration, force tout de même le respect.

Sans doute ce respect doit-il beaucoup aux inventions du jeune André Brassard qui signe ici sa première mise en scène dans un théâtre professionnel et qui passe l'épreuve avec succès. Brassard laisse sa griffe sur tout ce qu'il touche et ceux qui ont suivi son travail au Mouvement Contemporain se sont retrouvés en terrain connu devant ces chœurs tantôt drôles tantôt tragiques où s'expriment le désarroi, la colère ou l'enthousiasme des « Belles-Sœurs ». Brassard croit à la valeur incantatoire du verbe et il a plusieurs fois montré antérieurement quels effets dramatiques on pouvait en tirer.

Tout dans la mise en scène de Brassard n'est pas au point et on pourrait relever quelques éclairages mal contrôlés. De même les gens du métier dénicheront un certain manque de précision dans les déplacements d'ensemble.

Mais la petite scène du Stella exige des metteurs en scènes qui sachent modérer leurs transports. Ce qui n'est pas du tout facile lorsque l'on sait que, dans le cas des « Belles-Sœurs », il y a presque du commencement à la fin quinze personnes en scène. Par ailleurs, il est évident que pour assurer la distribution il a fallu faire appel à des personnes au métier parfois hésitant.

Il n'en demeure pas moins que les principaux rôles sont admirablement défendus (on croirait même que certains ont été faits à la mesure de leurs détentrices) par une pléiade de comédiennes qui ne ratent aucun de leurs effets et donnent aux belles-sœurs une vie souvent incomparable et dans plusieurs cas une rondeur absolument désopilante. Denise Proulx, Denise Filiatrault, Hélène Loiselle, Germaine Giroux, Marthe Choquette et Odette Gagnon excellent tout spécialement.

Cependant, au delà de la mise en scène qui est pleine de surprises, de l'interprétation qui est pleine d'intérêt, et du problème du langage qui n'est pas secondaire loin de là mais ne doit pas nous empêcher d'aller plus avant, un fait brutal et éloquent demeure : il se dégage de la caricature — le réalisme poussé jusqu'à l'obsession aboutit fatalement à la caricature — de Michel Tremblay une humanité, mal définie mais continuellement présente.

Sur le plan technique, l'auteur est limité et il limite encore ses moyens en poussant jusque dans ses derniers retranchements l'utilisation du « joual ». En depit de cela, les « Belles-Sœurs » sont vivantes, humaines, savoureuses et pittoresques.

Le jour où Michel Tremblay acceptera de jouer franchement le jeu de l'écrivain dramatique, en d'autres termes qu'il consentira à accorder les ressources de son intuition, de sa sensibilité et de son intelligence et les exigences de l'écriture dramatique véritable, nous aurons probablement de lui une œuvre forte, généreuse, et aisément audible. A moins, bien entendu, qu'il veuille se complaire dans la vulgarité appuyée et continuer d'emprunter des avenues qui ne mènent nulle part.

Martial Dassylva — **La Presse** — 29 août 1968

UNE ENTREPRISE FAMILIALE DE DÉMOLITION

Après tant et tant de cadavres empilés sur les scènes de la métropole par des acteurs sans vie agités par des metteurs en scène sans âme, voici qu'un grand souffle nous provient du Rideau-Vert qui ouvre sa saison sur ce qu'il faut bien appeler un chef-d'œuvre.

Chef-d'œuvre en effet que « Les Belles-Sœurs » de Michel Tremblay, sur les trois plans de l'intelligence, de la sensibilité et de l'écriture. Il faut immédiatement joindre au nom de l'auteur celui de son metteur en scène, André Brassard.

135

Sur le plan de l'intelligence, « Les Belles-Sœurs » est, je crois, un des premiers véritables regards critiques qu'un dramaturge québécois jette sur la société québécoise.

Sur le plan de la sensibilité, le monde de Michel Tremblay est d'une justesse et d'une acuité qui le classe immédiatement parmi les véritables artistes.

Sur le plan de l'écriture, la pièce est la démonstration éclatante que le « joual » employé dans son sens peut prendre des dimensions dans le temps et dans l'espace qui font de lui l'arme la plus efficace qui soit contre l'atroce abatardissement qu'il exprime.

L'idée de base est simple. Une femme de la classe populaire gagne à un concours un million de timbres-prime. Voilà ses rêves réalisés ; elle pourra enfin obtenir meubles et accessoires, tout ce qu'il faut pour meubler à neuf son logement. Mais un million de timbres à coller sur des carnets, c'est un travail d'Hercule. Qu'à cela ne tienne ; elle invitera ses amies à un « timbre-prime-party ». Toute l'action tient dans ce collage de timbres, au cours duquel bien des futilités seront échangées tandis que, peu à peu, on découvrira la psychologie intime de chacune de ces femmes.

Dans ce genre d'œuvre-mosaïque tout tient dans la manière. Celle de Michel Tremblay est efficace. Temps morts, temps forts, dialogues rapides, monologues intérieurs qui entrecoupent la pièce, numéro « à effet », tout s'entre-mêle et tout se fond. C'est du théâtre instantané. Il n'y a rien que quinze femmes qui parlent ? Attendez. Quand la pièce est finie, ce que l'on a derrière soi, ce sont des énormes éclats de rire ; ce que l'on a devant, c'est l'exposé brutal, vulgaire, net, froid de la lugubre solitude canadienne-française. Tout cela sans un mot de trop, sans morale. Si le génie consiste à rendre lisible à l'œil nu les abîmes de la vie, Michel Tremblay a eu ce génie.

Il est malheureusement impossible de donner par le détail une vision du monde de Michel Tremblay. Chacune de ses « belles-sœurs » représente une idée fixe, un mythe. C'est bien entendu l'époque de ses parents que Michel Tremblay stigmatise. On y retrouve la neuvaine, l'« histoire plate », le rêve vers un avenir de beauté impossible. Mais la jeunesse y participe. Est-elle mieux ? Guère. Dans une des scènes les plus touchantes, on voit confrontées celle qui, croyant sortir de sa petite vie, ne fait qu'y entrer davantage, avec celle, plus jeune, qui croit encore qu'il est possible d'en sortir et dont le cri de bête blessée est « J'ai peur, j'ai peur ».

Les personnages de Michel Tremblay confinent au pays de l'hilarité hystérique. On rit d'une façon presque incessante dans ces « Belles-Sœurs ». Mais quel gouffre d'inconscience, de tristesse, de nullité. Il y a dans tout jeune auteur un règlement de compte qui dort. Le sien, Michel Tremblay l'a réveillé. Il le réveille en nous. Les « Belles-Sœurs » sont une affaire de démolition où le comédien et le public se retrouvent en famille.

La mise en scène d'André Brassard sert magnifiquement l'œuvre. Sans doute, André Brassard est dans sa période baroque et, étant très riche, veut nous faire profiter à tout prix de sa richesse. S'il avait gommé un peu le détail, peut-être aurait-il gagné en cruauté ce qu'il eût perdu en bravoure. Mais quoi, dire cela c'est se plaindre que la mariée est trop belle ! Il a de l'imagination à revendre, le sens du vrai et celui du comique. Il sait avancer, éclairer, réduire, amener. Il sait même faire des galipettes quand il ne sait plus quoi faire. Dans quelques jours les joints encore un peu grinçants seront huilés. Et vogue la galère.

Quant à l'interprétation, comment choisir parmi quinze comédiennes qui, toutes à des nuances près, collent à l'œuvre comme la pauvreté au monde.

Un choix est donc tout à fait arbitraire et vaut par le goût personnel qu'il exprime. Citons Hélène Loiselle qui incarne « celle qui a été en Europe » ; Marthe Choquette dans la jalouse et, bien entendu, Denise Proulx qui est l'heureuse gagnante du concours.

Pourtant on m'excusera d'avoir surtout aimé, peut-être parce qu'elles sont un peu moins célèbres, Luce Guilbeault (celle qui a mal tourné parce qu'elle travaille dans un club) et Rita Lafontaine (celle qui a envie de mal tourner).

Reste enfin Denise Filiatrault. On reparlera d'elle plus tard parce qu'elle est merveilleuse et que toute sa carrière est le triomphe du travail et de l'intelligence.

Vite quelques mots sur le côté visuel. Un jeune décorateur, Réal Ouellette, a brossé un décor qui ne me paraît que convenable. Barbeau a rappelé à lui les rubans et les pompons qu'il aimait tant au début de sa carrière, mais qu'il emploie cette fois avec justesse. Jean Yves a coiffé tout le monde dans un esprit de parodie capilaire qui dénote l'artiste.

Louez vos places, accrochez-vous à vos fauteuils si vous n'aimez pas la vérité, allez-y à tout prix.

Les deux directrices du Rideau-Vert nous avaient fait découvrir Françoise Loranger ; elles nous offrent Michel Tremblay. Elles sont dans leur rôle, ce dont on ne peut que les féliciter.

Jean Basile — **Le Devoir** — 30 août 1968.

UN EXORCISME PAR LE JOUAL

Voltaire, qui dit parfois des choses vraies, a écrit que « l'écriture est la peinture de la voix » et que « plus elle est ressemblante, meilleure elle est ». En ce sens-là, on peut dire que Michel Tremblay, en écrivent ses « Belles-Sœurs » a peint comme il le fallait le drame d'un milieu populaire muré dans son langage. Mais que s'est-il passé pour que ce jeune conteur, auteur d'un recueil de contes fantastiques écrive en joual un drame réaliste dont les personnages sont des femmes ? Il semble que le fantastique soit son monde intérieur, le seul monde où il se sente à l'aise, un monde enfin délivré des belles-sœurs et compagnie, de leur médiocrité pitoyable, de leur enfer. Mais s'il a sauvé son âme et sa peau, s'il s'est trouvé une île intérieure, il n'en reste pas moins qu'il a connu une enfance et une adolescence bien réelles, bien éloignées du rêve. Il lui arrive donc de s'en souvenir. C'est un mauvais quart d'heure à passer. Alors il écrit « Les Belles-Sœurs [1] » pour plusieurs raisons sans doute, que je donne de façon assez arbitraire : pour s'en délivrer, par pitié pour elles, pour qu'elles se voient telles qu'elles sont.

Il y a des gens qui ne voient que le joual dans cette affaire. C'est passer à vingt milles du problème de la pièce, car le joual n'est pas ici une couleur locale, un parti pris littéraire, mais bien au contraire une nécessité de l'expression, le seul instrument de dramatisation

---

1. **LES BELLES-SOEURS**, comédie en deux actes, de Michel Tremblay, Holt, Rinehart et Winston ; théâtre vivant 6 ; **70 pages**, Montréal, 1968.

138

possible. Essayons un instant — ce qui est absurbe — de faire parler les belles-sœurs autrement. Michel Tremblay ne le pourrait pas parce qu'il a du talent, qu'il est intelligent et qu'il aime le théâtre. Et puis, mon Dieu, qu'on cesse de faire la morale au théâtre, qu'on nous montre les choses comme elles sont.

Il n'aurait pas été possible de donner une image vraie et dramatique en même temps du monde de Germaine en corrigeant sa langue, laquelle est, au théâtre, quelque chose d'assez important, semble-t-il. Le joual permet au drame d'en être un : à travers lui apparaît la misère réelle, quotidienne, la pauvreté et la soumission, l'animalité et l'égoïsme, tout ce qu'il y a dans une existence larvaire, étroite et sans joie. C'est ce qui donne à la pièce son caractère d'humanité, son pouvoir de conviction et sa cohérence. Sur la scène, plusieurs femmes, des mères et des filles, jalouses parfois, aigries, insatisfaites, mais qui ont en commun une langue d'infirmes condamnées, quoi qu'elles fassent, à leur sort. Les plus jeunes ne l'acceptent pas, mais à quoi bon ? Elles n'en sortiront pas.

Comme le souligne Jean-Claude Germain, dans la préface, Michel Tremblay n'a pas voulu qu'aucun de ses personnages soit son porte-parole, pour la bonne raison qu'il nous montre un monde duquel il s'est enfui pour toujours. Et il ne cherche pas à nous livrer ses impressions sur ce monde ; il lui suffit de nous le montrer sans complaisance, en utilisant avec une grande habileté le langage qui lui convenait, et ce langage est celui des Montréalais démunis. On voudrait bien ne pas les voir, ces témoins de notre déchéance nationale. On voudrait que les créateurs nous fassent rêver.

C'est bien plus rassurant. Michel Tremblay rêve, lui aussi, quand il vit et écrit des contes fantastiques, mais il lui arrive d'ouvrir les yeux et de voir un spectacle qui provoque l'indignation et la pitié. Il ne dit pas qu'il est meilleur que ses personnages, que ses belles-sœurs, puisqu'il ne dit rien, puisqu'il a la modestie de les écouter et de bien nous raconter ce qu'il a entendu. Il ne ment pas. Pour s'en convaincre, il suffit de se promener dans notre ville, ou plus simplement, de retourner dans sa famille.

Evidemment, Michel Tremblay n'a pas inventé le joual. Il court les rues ; des romanciers et des poètes, par souci de réalisme, pour enfin posséder une réalité de laquelle ils ne voulaient pas s'exiler, l'ont promu au rang de langue littéraire. Il s'agissait, bien sûr, d'une étape, d'un pas à franchir, d'un recours nécessaire. Par là, ils s'identifiaient à leur monde immédiat et c'était un progrès par rapport à leurs aînés qui avaient préféré étreindre le monde entier en sautant par-dessus le Saint-Laurent. On a dit que c'était une impasse ; c'en était une, d'autant plus que, même en stylisant le joual, on n'arrivait pas à en briser les limites étroites, car il est clair qu'il s'agit d'un dialecte pauvre, incapable d'exprimer plus que sa propre pauvreté.

Au théâtre, comme on fait parler des gens, on ne peut pas styliser, on met dans la bouche des personnages les mots dont ils ont besoin. Cela, Tremblay le fait si bien qu'il réussit, non seulement à nous faire rire, ce qui serait facile, mais à nous émouvoir et à nous révolter. Il n'a pas cherché à se faire plaisir en nous amusant ; il a fait vivre des damnés dont la vie nous est insupportable. Les timbres-primes ne sont qu'un prétexte. Germaine comptait sur eux pour meubler un peu sa petite vie, pour l'habiller.

On lui vole tout, on l'abandonne à elle-même, aussi démunie qu'auparavant. La vie reprendra comme avant. Sur le drame de la grosse Germaine viennent se greffer ceux de sa fille, de ses amies, des belles-sœurs, qui constamment essaient de sauver la face (on ne les voit vraiment que durant leurs monologues). Et ce qu'on voit c'est leur cœur désolé, leur petite vie fermée sur elle-même, sans lumière. Elles sont cruelles et il y a de quoi l'être. Qu'on se mette dans leur peau. Tremblay nous force à nous y mettre. Jamais il n'intervient, donnant à l'une plus qu'à l'autre la chance d'entrevoir un avenir souriant. Lise Paquette, adolescente enceinte, jure d'entrer par la grande porte de la vie, mais elle est le double de Pierrette, qui justement a voulu démentir son destin et qui avoue son échec.

Ce réalisme dénué de tout moralisme est sans doute la seule voie où notre jeune théâtre peut s'engager s'il vise à l'efficacité et à la vérité. Mais pour Tremblay, le problème est le suivant : dans cette voie, il ne pourra faire mieux. Il a dit ce qu'il avait à dire. Il a réussi toutes les conditions nécessaires au succès de son entreprise, conciliant même des procédés de dramatisation contemporains et antiques (le chœur, par exemple). Se livrera-t-il au fantastique qui est sa patrie d'adoption ou continuera-t-il sa recherche du côté du réalisme ? On ne saurait le prédire.

Il est certain que le joual lui a permis d'en finir avec un monde qu'il n'accepte pas, il ne lui servira plus désormais à s'exprimer lui-même. Il est aussi certain que « Les Belles-Sœurs » seront, dans notre théâtre, un moment décisif à plusieurs égards, celui du langage tout d'abord, et puis celui de la conscience. On ne sort pas de cette pièce avec une grande satisfaction ; on se demande si l'on n'est pas, chacun, coupable de ce qui s'y est passé.

Il y a bien des façons d'être coupable, à commencer par l'envie de se disculper. Le monde de Germaine est là avec son humanité invivable. Nous savons qu'il faut faire quelque chose, que ça ne peut pas durer. Refuser honnêtement le joual, ce serait abolir ses causes. Il s'agit de savoir si l'on est prêt à en prendre les moyens.

André Major — **Le Devoir** — 21 septembre 1968.

« LES BELLES-SOEURS », UNE PRODUCTION DE GRAND MÉRITE

La croissance dans le nombre et la productivité même de nos auteurs dramatiques rendent de plus en plus nécessaires les révisions, les modifications que l'on doit apporter aux options « définitives » que l'on fait siennes. Il devient maintenant impossible de se limiter à une seule explication, à une seule et unique interprétation. « Les Belles-Sœurs » de Michel Tremblay qui tient l'affiche au Rideau Vert le souligne avec beaucoup d'opportunité.

La comparaison est peut-être la forme la plus basse de l'intelligence mais on ne peut s'empêcher de constater que si on retrouvait dans « Le Cid Maghané » un usage gratuit du Joual, « Les Belles-Sœurs » donnent à ce procédé toute sa raison d'être théâtrale sans que l'on se sente obligé d'y voir des études plus ou moins poussées du langage et du Québécois, pour en justifier l'emploi. C'est d'ailleurs dans cette fonction d'instrument et, celle-là seule, que ce langage retrouve sa vraie dimension, dépouillée de caricature et surtout, de bonne conscience. Contrairement à ce que certains peuvent encore penser, ce langage ne saurait être une planche de salut, tout au plus pourra-t-il servir de point de repère.

Cette caractéristique demeure néanmoins, à juste titre, un élément, un moyen secondaire et, plus importants encore, se révèlent les dons de l'auteur dans la description du milieu — il en sort — et la façon de

141

le faire. Par cette connaissance et une utilisation poussée (il faut aussi le dire) du joual, il rejoint la dimension du « nouveau réalisme » que donne de sa pièce Jean-Claude Germain.

Ce réalisme trouve sa source dans une classe sociale déterminée (elles existent dans les faits même si on les refuse en esprit) : ouvrière. Ce réalisme diffère des autres que nous connaissons et spécialement de celui de Marcel Dubé qui, plus personnel, est passé de l'ouvrier au petit, moyen et haut bourgeois suivant là une démarche intime.

Auteur et metteur en scène — il est évident qu'il s'agit d'une production montée en étroite collaboration — ont su tirer de leur expérience la matière nécessaire pour trouver, dans les paroles et les gestes, l'attitude juste tant au niveau des personnages que de l'ensemble. Prenons simplement le prétexte : un concours dont le prix consiste en un million de timbres-primes. Dans la cuisine de Germaine Lauzon sont réunies, pour une séance de collage intensif, une quinzaine de femmes de tous états, allant de ce qu'il est convenu d'appeler « le rat d'église » jusqu'à la prostituée en passant par la fille-mère et toutes les nuances possibles.

Au cours de cette soirée et à travers chacune d'entre elles, l'auteur nous donnera un aspect de ce qui est leur lot : frustrations de tout ordre dans la majorité des cas, que ce soit un mari d'un appétit sexuel égoïste, les belles-mères à charge, l'enfant illégitime ou le fils méprisant. Tout cela étant couronné par une panoplie des travaux ménagers qui deviennent à des contraintes avilissantes.

A ces frustrations particulières vient s'ajouter cet éternel désir d'en sortir par tous les moyens, de passer, sinon en réalité du moins par le rêve, dans un autre monde que celui qui leur est dévolu. Pour servir ces récriminations, l'auteur les a réunies dans des chœurs comme celui de la « maudite vie plate » ou « l'ode au bingo ». On retrouve alors ces désirs d'évasion inassouvis par ces apaisements éphémères que sont la télévision et les soirées de bingo.

La pièce est d'ailleurs construite sur ces passages de la réalité au rêve, à l'intérieur des personnages et de l'individu au collectif, au niveau des grands thèmes. On fait sauter le spectateur par les différents paliers de comique et de tragique dans un rythme soutenu tant sur le plan de l'écriture dramatique que sur celui de la mise en scène. Lorsque les premiers effets du joual sont dissipés et qu'un personnage comme Rose Ouimet crie son amertume, son écœurement, la comédie disparaît

142

et le tragique s'installe. C'est d'ailleurs là un des grands mérites de la pièce que de nous faire vivre tous ces états. Il arrive toutefois que les effets d'un chœur ou d'une confession se poursuivent plus qu'il ne le faudrait et cela semble dû autant à une perte de souffle de l'auteur que de la représentation elle-même.

Depuis le début de cette soirée, les « belles-sœurs » souffrent d'en voir une autre ramasser le gros lot alors qu'elle « ne le mérite pas plus que les autres ». Elles se mettent à rafler des livrets par ici et des livrets par là, dans le but de se payer aussi une part de ce bonheur. Germaine s'aperçoit que ses timbres s'envolent et la « chicane » éclate (on la sentait latente au départ). La belle maison meublée grâce aux timbres disparaît. Le bonheur de Germaine aura été bien éphémère et l'on soupçonne fort bien que celui des « voleuses » le sera tout autant.

Le talent de l'auteur trouve son pendant dans celui du metteur en scène, André Brassard. Dans chacune des scènes où il laisse libre cours à son dynamisme, il réussit à faire de ces personnages non pas des caricatures mais des types représentatifs tant dans leur individualité que dans leur collectivité. On sent, dans la direction des comédiens, le désir d'imprimer une vive allure et pourtant, même le détail frappe dans le brouhaha. On peut lui reprocher certaines lacunes du côté des enchaînements de même que dans les éclairages. Une amélioration de ce dernier point apporterait encore plus de poids au découpage rêve-réalité et individu-collectif.

Quant à l'interprétation, il n'y a que l'embarras du choix. Soulignons immédiatement que Denise Proulx se défend extrêmement bien dans le rôle de Germaine Lauzon, rôle sur mesure qui lui permet de donner, dans le registre tragique comme dans le comique, l'évidence de son talent de comédienne. Denise Filiatrault ne ménage pas les effets et se manifeste à tous les instants. Il faut être juste : elle y excelle. Elle se fait peut-être un peu trop omniprésente, au détriment des autres éléments de la distribution. Pour sa part, Hélène Loiselle interprète son rôle de snobinette à merveille et ne rate aucun de ses airs guindés quand elle tente de bien « perler ».

Les autres membres de la distribution sont dans le ton et chacun des types est bien dessiné. Certaines manquent sans doute d'éclat alors que d'autres en ont trop. Ce sont bien entendu des écarts qui devraient disparaître avec le temps. Signalons la participation des Germaine

Giroux, Nicole Leblanc, Odette Gagnon, Anne-Marie Ducharme et Germaine Lemyre.

On peut difficilement arrêter son choix sur un élément qui serait la raison totale de ce succès et c'est tant mieux. Lorsque la matière première est d'une qualité indéniable comme le texte de Michel Tremblay, que la mise en scène ne démérite pas du talent au premier et que l'interprétation est particulièrement bonne, le résultat est obligatoirement le même. La recette peut paraître facile mais pour le nombre d'auteurs qui tentent de l'utiliser, trop peu y réussissent.

Jean Caron — **Le Soleil** — 31 août 1968.

« LES BELLES-SOEURS »

La pièce : c'est, ne l'oublions pas, la première aventure littéraire du jeune Tremblay réellement valable. Je pense que s'il continue dans cette veine, en édulcorant un peu sa langue, toutefois, nous aurons avec le temps un Tennessee Williams canadien dont la renommée passera les frontières. Il a déjà du métier, et sa pièce a une qualité que je prise par dessus tout : elle est bien, et logiquement construite, les tableaux s'enchaînent harmonieusement, sont bien équilibrés, et les répliques « portent ». On ne peut pas en dire autant de certaines pièces de Dubé, Loranger ou autre, du strict point de vue construction... Tremblay fait preuve, d'abord, d'un don d'observation peu commun (et qui a toujours engendré les grands dramaturges, à commencer par Molière, qui prétendait « corriger les travers de ses contemporains en les représentant, caricaturés, sur le théâtre »), et ce que j'appellerais le « sens du scalpel ». Il coupe vite, et loin, en pleine chair vive et tout ce qu'il dit est VRAI, plus vrai que nature, c'en est hallucinant et ça fait mal ! Certains critiques chagrins ont eu leurs délicates oreilles offensées de la verdeur de la langue. Eh bien, qu'ils aillent donc faire un tour dans le milieu ouvrier que Tremblay veut décrire, et ils verront ce que c'est ! C'est vrai que les jurons volent et pleuvent, un peu gratuitement, peut-être. Mais Tremblay, encore une fois, ne prétend pas édulcorer la vérité. Et pour une fois que quelqu'un va jusqu'au

144

bout, il faut l'en féliciter, et non lui taper dessus. Mais, on a horreur de se faire dire ses quatre vérités, surtout avec cette brutalité. Tant pis, il va falloir apprendre à grandir un peu plus vite, voilà tout.

La mise en scène : une chose m'a frappé : l'UNITÉ. Tremblay et Brassard, en raison des liens d'amitié qui les unissent, ont fait réellement cause commune, et on ne sait pas toujours où l'auteur s'arrête et où le metteur en scène commence. Disons que ceux qui sont déjà familiarisés avec le travail de Brassard auront reconnu les grands points de force de son expression théâtrale : la magie du verbe, la mélopée incantatoire admirablement exploitée (les grands moments de la pièce sont le « quintette de la vie plate » le « chœur des clubs », et « l'Ode au Bingo », le meilleur des trois, les « montées » vers un but précis, les traitements-choc, et les mouvements de foule qui sont assez remarquables, étant donné le plateau incliné (quelle excellente idée) et l'exiguïté de la scène. Quinze personnes en scène, s'agitant, allant, venant, courant, plus les meubles, plus une chaise roulante, cela fait beaucoup. Et pourtant, tout est toujours valable, et on sent le travail à plein nez, si j'ose dire ... Les « spots » qui isolent les comédiennes, leur permettant de livrer au public leur personnalité, tantôt touchante, tantôt désespérée, ou cruelle, tranchent sur la folie collective et transposent en termes de théâtre convaincants des situations vraies et autrement difficilement assimilables. Là encore, les critiques ont fait la fine bouche, et leur jugement faussé par le snobisme et le tape-à-l'œil d'autres compagnies, n'ont pas su, ou n'ont pas VOULU voir que, pour une fois la prétention était absente, totalement, d'un spectacle montréalais. C'est du théâtre, du vrai, sincère, avec les qualités et les défauts inhérents à la vérité même. Maintenant, que le jeune Brassard n'aille pas gonfler son plastron, et qu'il se souvienne que rien n'est parfait, et que l'humilité est la première qualité de l'artiste ! Mais il a l'étoffe d'un grand homme de théâtre, s'il continue dans ce sens.

L'interprétation : quinze comédiennes, quinze femmes, quinze caractères différents, quinze défis. Pour la plupart, une réussite, parfois une révélation, toujours un sens exact du propos. Se détachent du groupe, naturellement, quelques-unes, qui ont parfois des moments bouleversants. Car, et c'est là un tour de force, chacune a sa petite scène de bravoure, chacune peut à son tour, non pas briller, mais expliquer au public ce que ressent son personnage et ce qui ne va pas. Et c'est bien de pouvoir le faire : c'est dans ce sens aussi que je trouve la

145

pièce bien construite. Je pense à la remarquable Denise Proulx, à Filiatrault qui est, et pour cause, hallucinante de vérité, à Germaine Giroux qui trouve là un rôle idéalement choisi, et dans lequel elle est absolument remarquable, au personnage si drôle et si vrai (on a rarement allié autant de prétention à autant de bêtise) que campe Hélène Loiselle, et même à des interprètes qui pourraient paraître secondaires, et qui pourtant retiennent l'attention sans faiblir : révélation d'Anne-Marie Ducharme, bouleversante, juste, et si vraie... excellente scène de Rita Lafontaine (quoiqu'un tout petit peu longuette), et toutes les autres qui, à des degrés divers ont fait de la pièce ce qu'elle est. Il y a naturellement quelques faiblesses : on ne peut pas faire mouche à tous les coups ! Disons aussi que certaines comédiennes sont plus à l'aise dans le joual que d'autres... Je voudrais d'autre part faire une mention spéciale de Nicole Leblanc dans un rôle impossible (une vieille femme dans une chaise roulante, avec un masque sur le visage), et qui se tire admirablement d'affaire. D'ailleurs, je connais cette comédienne, sais ce qu'elle vaut, et suis enchanté de ce pas en avant ; je souhaite qu'elle ne s'arrête pas en si bon chemin, et je suis sûr qu'elle nous réserve des surprises...

Conclusion : ne manquez pas cette pièce. Elle est extrêmement valable, cruelle, vraie, dure, vulgaire, et sans concessions. Mais elle représente un tour de force, c'est une œuvre de jeunes, de jeunes qui iront loin, et je salue bien bas les dons de clairvoyance et d'intelligence de Madame Brin d'Amour d'avoir accepté de monter cette pièce, avec des jeunes auxquels elle a donné leur chance. Elle en est récompensée, car selon toute probabilité, elle tient là l'un des grands succès de la saison. J'ajouterai enfin que je n'avais reçu aucune invitation du Rideau Vert, et que j'ai écrit ce compte-rendu de mon propre chef, parce que j'estimais que cela en valait largement la peine, aussi bien pour l'auteur et le metteur en scène que pour la directrice du théâtre.

Patrick Schupp.

« LES BELLES-SOEURS » DE MICHEL TREMBLAY

La pétarande présentation des Belles-Sœurs par Jean-Claude Germain avait été le premier signal d'alarme. Les représentations qu'a

146

données le Théâtre du Rideau Vert de la pièce de Michel Tremblay ont achevé de porter l'inquiétude au cœur des dramaturges, des critiques et de tous ceux qui s'interrogeaient sur l'avenir de la dramaturgie québécoise.

Le réalisme et le joual sont-ils oui ou non les chemins de la liberté des nouveaux dramaturges québécois ? Pour Jean-Claude Germain, la réponse ne fait pas de doute. Avec Michel Tremblay commence une nouvelle étape pour le théâtre québécois, « aussi importante et aussi décisive que le furent à leur époque Tit-coq de Gratien Gélinas ou Zone de Marcel Dubé ».

La pièce de Tremblay, à la lecture, est d'une irrésistible drôlerie. Nous y voyons Germaine Lauzon inviter ses sœurs, (il faudrait peut-être enlever le trait d'union entre belles et sœurs pour mieux saisir l'ironie de Tremblay qui veut sans doute montrer dans quelle mesure ces sœurs, au nombre desquelles on peut ranger les voisines, agissent de manière bien peu fraternelle) ses voisines à un « party » de collage de timbres, comme elle dit. Car elle vient de gagner un million de timbres-primes et doit d'abord les coller sur des livrets avant de pouvoir obtenir les cadeaux auxquels ces timbres lui donnent droit. C'est donc à ce « party » qui n'est qu'une longue conversation entre femmes que nous assistons. Tout d'abord les médisances et les calomnies habituelles ne manquent pas de donner du piquant à la conversation et même de faire éclater les premiers conflits bénins. Puis surgit Pierrette, la sœur de Germaine, la brebis galeuse de la famille, et c'est le premier conflit d'envergure ou du moins, le premier coup de théâtre de la pièce car Pierrette reconnaît, dans le groupe, Angélina Sauvé dont elle dévoile ainsi les mauvaises fréquentations et les habitudes condamnables. N'a-t-elle pas coutume d'aller prendre un verre au bar où « travaille » Pierrette ? C'est pour l'auteur l'occasion de faire voir l'hypocrisie de ces femmes qui condamnent parfois chez les autres ce qu'elles-mêmes font en cachette. L'hypocrisie des invités de Germaine Lauzon, déjà manifeste dans leurs propos médisants et calomniateurs et dans cette surprise d'Angéline, va éclater au grand jour et, aux yeux de la maîtresse de maison, quand elle va s'apercevoir que ses compagnes étaient depuis longtemps en train de la voler, car, après plus d'une heure, il y avait à peine quelques livrets de remplis.

Cette hypocrisie des Belles-Sœurs de Germaine Lauzon ne serait cependant pas tellement dramatique et même tragique si elle n'était l'envers de la misère de ces femmes. C'est d'ailleurs ce qui fait de cette pièce intitulée comédie une sorte de tragédie populaire. Ces femmes qui tout au long de la pièce, s'étaient montrées mesquines, injustes et égoïstes, se sont mises par jalousie, par envie, à voler les timbres de Germaine. Elles l'ont ainsi dépouillée de cette richesse miraculeuse qui lui tombait du ciel, l'ont empêchée de sortir de sa condition ; elles se sont changées en instruments de cette fatalité qui pèse sur elles toutes, les maintient dans leur misère commune et fait d'elles, comme le dit Madame de Courval : du monde « cheap ».

C'est cet aspect tragique qui ressort mieux à la représentation qu'à la lecture parce que la mise en scène vient mettre en valeur les intentions de l'auteur et nous permet de voir jusqu'à quel point cette pièce est un long thrène, une lamentation, une déploration sur le sort de certaines ouches populaires. La fameuse « ode au bingo » est sans aucun doute le sommet de la pièce, à la fois le moment le plus divertissant et celui qui résume, de manière parodique, les intentions de l'auteur et la forme dans laquelle il a voulu les faire passer. Dans cette ode, tous les personnages participent comme dans ces chants collectifs d'autrefois. Toute la pièce, si l'on veut bien y faire attention, n'est qu'une succession de monologues, sortes de confessions plus directes et moins symboliques où les personnages confessent leurs misères tout comme dans l'ode. Mais dans celle-ci ils vont le faire de manière indirecte et parodique en magnifiant, en exaltant jusqu'à l'hyperbole et l'extase ce moment d'oubli de leur sort que leur procure le bingo.

Cela donne peut-être la mesure de la réussite de Tremblay et les limites de l'instrument qu'il avait choisi. Car si sa pièce a ainsi remporté de si grands succès et s'est valu de tels éloges, c'est sans aucun doute à cause de cette portée tragique et lyrique qu'il a su lui donner en faisant de la contradiction entre le comique du langage et le sordide des situations une source d'émotion tragique pour les spectateurs. Mais ce langage, dont le pittoresque du vocabulaire ne doit pas faire oublier la pauvreté de la syntaxe, pourrait-il chanter avec autant de force, l'espoir, évoquer les verts paradis de l'avenir et provoquer en nous des illuminations ? L'incapacité même des personnages des Belles-Sœurs à exprimer autre chose que la nostalgie, le regret et la rage, est pour une bonne part un effet de l'impuissance de leur langage aussi.

148

Tout comme le roman l'avait fait avec Le Cassé de Jacques Renaud, le théâtre québécois avec Les Belles-Sœurs entreprend peut-être sa cure d'amaigrissement, de rajeunissement et d'embellissement. Et alors c'est le signal d'un tournant.

Maximilien Laroche.

« LES BELLES-SOEURS »

Après Pygmalion où des gens du même milieu parlent les uns français, les autres joual, après « Le Cid Maghané » où les gens d'une même famille se servent indifféremment du joual et du français, venons-en au joual tout pur, je veux dire à la pièce de Michel Tremblay : « Les Belles-Sœurs ». C'est une pièce qui a fait couler beaucoup d'encre, qui a scandalisé. Certains puristes se sont même sentis obligés de protester dans les pages de nos journaux. C'est une façon comme une autre de servir une cause. Quelques-uns défendaient la langue française, d'autres la littérature canadienne-française. On a même fait allusion à d'autres pièces qui contenaient des expressions jouales pour montrer qu'on était déjà allé trop loin pour flatter cet animal. Qu'un auteur écrive toute une œuvre en joual, qu'il se serve de nos meilleurs jurons, les mette dans la bouche de bonnes mères de famille, c'était dépasser les bornes. « Les Belles-Sœurs », ce n'était pas du théâtre, c'était un panier d'ordures. Les chroniqueurs de théâtre ont trouvé la pièce excellente et l'ont dit. Tellement qu'après un moment, la compagnie du « Rideau Vert » a dû jouer à guichet fermé. Je me souviens de cette phrase que j'ai entendue, au sortir de la représentation, le soir où j'y suis allé : « C'est plutôt comique, mais c'est pas aussi comique qu'on le disait. » En effet, cette pièce qui a passé pour être une comédie n'en est pas une. C'est un drame, presque une tragédie. Les gens allaient au « Rideau Vert » voir une comédie. Beaucoup riaient. Il y a, en effet, de l'humour dans les Belles-Sœurs. Mais c'est un humour triste. C'est un humour qui fait sourire, parfois rire, mais fait pleurer en même temps. Il est difficile de voir éventrer toute une classe de la société, cette classe à laquelle nous appartenons tous plus ou moins, comme un animal, comme un cochon sur la scène, sans ressentir profondément

149

en soi une tristesse qui va parfois jusqu'à l'écœurement. C'est ce qui se produit en regardant évoluer les belles-sœurs, en les entendant se déchirer, se blesser, se meurtrir par tous les moyens possibles et imaginables. Ces blessures qu'elles s'infligent, elles les infligent aussi au spectateur. Si nous rions, nous rions constamment jaune. C'est, je crois, que nous comprenons tout à coup la grande misère et aussi la petitesse de ces pauvres gens qui ne peuvent être que nous. Nous sommes pris au piège et nous nous sentons obligés, dans l'humilité la plus révoltante, d'avouer tous nos péchés. Nous sommes voleurs, menteurs, envieux, hypocrites, égoïstes, catholiques, mesquins, viveurs, couards, lâches. C'est une confession générale que nous faisons par la bouche de l'auteur. Nous admettons tout. Il le faut bien. Mais pourquoi sommes-nous ainsi ? Est-ce la faute de la religion que nous pratiquons ? Est-ce la faute de la langue que nous parlons ? Est-ce la faute du ciel ou de l'enfer ? Les belles-sœurs n'ont pas la langue dans leur poche, c'est le cas de le dire, mais quelle langue ! Nous nous révoltons d'assister impuissants à un pareil déferlement de mots, de jurons qui collent à la peau, qui semblent nous recouvrir d'une sorte de lèpre. Si c'est ce que nous sommes, pensons-nous, quel espoir avons-nous de nous en tirer? Jamais un auteur n'avait réussi à nous accuser de la sorte, à nous dénoncer du haut de la montagne. Un compatriote qui dénonce ses compatriotes. Qui les oblige à s'ouvrir l'âme à l'aide d'un instrument qu'on croyait inoffensif et qui s'appelle le joual. Qui prend plaisir à crever des abcès. Cela devient intenable. Nous voulons sortir. Mais nous restons. Comment peut-on se fuir soi-même ? Dans la rue, les questions continuent, entrecoupées de silence. Et voici qu'une grande pitié nous enveloppe. Nous avons pitié de nous-mêmes. Nous commençons à nous donner l'absolution. Nous étions à confesse et nous voici en pénitence. Nous vient le goût de réparer. Pour les péchés qui nous ont été légués. Si nous avons eu le courage de les avouer, de les regretter, pourquoi ne pourrions-nous pas recommencer à marcher comme des hommes ? Ne faut-il pas un jour se reconnaître, se juger froidement, sans parti pris, pour avoir le désir d'arracher les chancres qui vivent en nous ?

En ce sens, la pièce de Michel Tremblay est très saine. Elle nous permet de nous voir comme dans un miroir. Et le portrait n'est pas des plus réjouissants. Il y a, bien sûr, le joual qui aide à faire cette confrontation. Par l'intermédiaire du joual — dans les circonstances,

150

c'était le seul outil à utiliser — et d'un seul personnage, une communauté canadienne-française, l'auteur récite à notre place un Kyrié Eleison difficile à entendre. Cette avalanche de mots informes aurait pu ennuyer. Il n'en fut rien. Les interprètes savaient réciter. La mise en scène à peu près parfaite nous aidait aussi à passer d'une scène à l'autre avec un minimum de dérangement. C'était donc une réussite théâtrale à tous les niveaux. C'était la preuve que le joual peut, quand il est bien guidé, s'inscrire aux courses et sortir gagnant. Certains jurons ont offensé des bonnes âmes. D'autres n'ont pu supporter la grossièreté du langage. Ils nous l'ont fait savoir. Les Belles-Sœurs, c'était, à leur dire, une insulte gratuite à la face du Canada français. N'aurait-il pas été plus normal de penser que certaines vérités ont besoin d'être proclamées pour nous permettre de voir clair au moment où nous voulons rebâtir ? A bien y penser, il y a de la grandeur dans la franchise avec laquelle cette petite communauté se déchire à belles dents. C'est la grandeur du loup affamé qui, ayant parcouru son territoire dans tous les sens, se voit obligé de manger des racines pour subsister. Ce loup a le pressentiment qu'il survivra et qu'il devra dorénavant penser à l'avenir autant qu'au présent. Il sait qu'il ne peut plus se laisser vivre comme dans le passé.

Ceux qui liront la pièce sans avoir assisté à la représentation la trouveront peut-être très ordinaire. Un lecteur attentif y découvrira quand même des morceaux de bravoure. C'est le jeu des comédiens et du metteur en scène qui transforme cette pièce et qui donne tout leur sens à ces dialogues qui « signifient » par leur insignifiance même.

Le joual s'est donc manifesté d'une façon bruyante sur quelques-unes de nos scènes en 1968. Les trois œuvres dont je viens de parler sont dignes de rappel. Ce n'est pas une garantie que le joual continuera à faire les beaux jours de notre théâtre. Malgré des sursauts d'énergie, l'animal en question pourrait bien un jour se fatiguer de courir pour des spectateurs qui recherchent plus le sensationnel que la beauté du geste. Surtout si des tuteurs comme celui qu'on retrouve dans « My Fair Lady » suivent la course de près, il faudra qu'il soit bien ferré pour que ses victoires ne soient pas contestées.

Adrien Thério.

cannecons = underwear

ACHEVÉ D'IMPRIMER
EN AVRIL 1995
SUR LES PRESSES DE L'IMPRIMERIE AGMV

CAP-SAINT-IGNACE (QUÉBEC)

POUR LE COMPTE
DE LEMÉAC ÉDITEUR

absurde /absurdité

DÉPÔT LÉGAL
1re ÉDITION: 4e TRIMESTRE 1972
(ED 01/IMP 06)